Jamil Albuquerque e Gustavo Bozetti

# Prosperar

Título original: *Prosperar*



1ª edição: Março 2022



**Autor:**
Jamil Albuquerque e Gustavo Bozetti

**Preparação de texto:**
Iracy Borges

**Revisão:**
Lays Sabrina

**Projeto gráfico e capa:**
Jéssica Wendy

**DADOS INTERNACIONAIS DE CATALOGAÇÃO NA PUBLICAÇÃO (CIP)**

Albuquerque, Jamil
Prosperar : como resistir ao teste do tempo / Jamil Albuquerque e Gustavo Bozetti. -- Porto Alegre : Citadel, 2022.

144 p.

ISBN: 978-65-5047-143-9

1. Sucesso 2. Sucesso nos negócios 3. Desenvolvimento pessoal I. Título

22-1341 CDD 158.1

Angélica Ilacqua - Bibliotecária - CRB-8/7057

**Produção editorial e distribuição:**

contato@citadel.com.br
www.citadel.com.br

Jamil Albuquerque e Gustavo Bozetti

# PROSPERAR

Como resistir ao teste do tempo

2022

# Sumário

INTRODUÇÃO

# Um olhar acima da camada de ozônio

Este livro começou a ser escrito há muito tempo. O destino favoreceu nossa missão – *annuit coeptis*, como está escrito na nota de US$ 1: "Ele aprova (nossos empreendimentos)".

É um livro que teve sua primeira página redigida quando nos conhecemos, décadas atrás. Gustavo, Jamil e Vanessa, nossa sócia, nossa coautora que tanto contribuiu com a execução deste livro.

Desde os primeiros momentos sempre conversamos sobre administração, gestão, gerenciamento e liderança; sempre tivemos esta percepção de uma nova consciência nos negócios – o sucesso além do sucesso.

O objetivo? Contribuir para que as empresas tenham uma cultura de colaboração, de solidariedade, e para ajudar o país a ser mais forte.

Isso nos levou a falar sobre o conceito necessário para construirmos uma empresa de referência, nos mercados nacional e global, em termos de desenvolvimento de liderança.

Este livro é a consolidação dessas nossas conversas, reuniões e projetos. Foi escrito em encontros virtuais e presenciais, em trocas de mensagens, em congressos, em encontros pessoais, em nossas convenções – que no início eram realizadas pelo país e hoje já ocorrem também no exterior.

Nestes anos, encontramo-nos no interior de São Paulo e na capital paulista; reunimo-nos em Brasília e em alto-mar, quando em convenções realizadas em cruzeiros marítimos; exploramos juntos a Europa, andando por suas velhas ruas e conversando sobre sua história e cultura, fazendo um paralelo com o legado deixado no Rio Grande do Sul – extremo sul do Brasil – pelo tradicionalista Paixão Côrtes: a extraordinária busca pela identidade, pela valorização da história, das raízes do povo.

Conversamos muito quando atravessamos juntos parte dos Estados Unidos, cruzando centenas de quilômetros pelo deserto de Mojave, em Nevada. Conhecemos juntos a Califórnia, um estado que, se independente, seria a quarta economia mundial; caminhamos na região onde nasceram marcas globais como McDonald´s, Facebook, Google. Falávamos, escrevíamos, gravávamos nosso conhecimento.

Vimos juntos o sol se pôr no Pacífico, e, durante todo esse tempo, sabíamos que essa caminhada tinha uma conexão com nosso propósito de vida. A beleza da natureza, da existência humana, todo o funcionamento do planeta, tudo isso sempre teve, para nós, um conceito de integralidade. Éramos, somos e seremos, integrais e integrados. Integrais com corpo, alma e espírito; integrados com a realidade, com o meio, com a materialidade.

De certa forma, o material que você tem em mãos tem muita contribuição da literatura de Napoleon Hill (1883–1970), escritor norte-americano considerado o homem mais influente da história em temas como realização pessoal. Durante vinte anos de sua vida, ele se dedicou a investigar e entrevistar grandes líderes e vencedores com o objetivo de encontrar as razões que levam tantas pessoas a tentar – e tão poucas a conseguir – alcançar o sucesso em sua jornada. Portanto, este conteúdo tem sido criado a partir de um processo de formação e de aprendizado contínuos.

É um livro orientado para o mundo dos negócios, mas também se aplica muito bem à vida. Trata de seres humanos em um contexto organizacional e em um contexto pessoal.

Sempre tivemos consciência da necessidade de uma visão sistêmica do processo por entender que a vida não é fragmentada: existe a vida familiar, a pessoal, a profissional – cada uma em sua dimensão. A vida é dinâmica, composta pelo corpo humano, pela experiência do cotidiano, passa pela organização do tecido social, pela atividade produtiva: tudo está integrado.

Existe um número muito grande de pessoas que passam a vida inteira sem compreender o propósito de sua existência, pessoas que sofrem muito e fazem as pessoas à sua volta sofrerem junto – porque, afinal de contas, o ser humano, em momentos difíceis, não separa a vida profissional da pessoal. Existem PAIS nas empresas, existem CHEFES nas famílias, e essa confusão pode gerar sofrimento tanto no ambiente profissional como na vida pessoal.

Por quê? Porque a empresa também é um organismo vivo e participativo na sociedade – assim como a família.

As empresas foram criadas para ajudar as ideias e os desejos a darem certo, para ajudar as pessoas a sobreviverem. A missão final de uma empresa é ajudar as pessoas a serem felizes: se eu produzo roupas, desejo que a pessoa esteja bem-vestida, protegida. Se produzimos alimentos, desejamos que as pessoas não sintam fome. A empresa existe para que a vida em sociedade seja melhor.

O que ocorre é que as empresas estão se tornando muito complexas e complicadas. Temos matrizes, organogramas e um dinamismo enorme na economia, que muda sempre que é surpreendida por contingências diversas – como um vírus vindo do outro lado do planeta.

De tão complexo que tudo se tornou, estamos esquecendo das coisas simples – não simplistas nem simplórias –, esquecendo de olhar verdadeiramente para o SER humano.

Nesse contexto, precisamos compreender que as empresas e as pessoas estão diretamente ligadas – porém uma delas possui um ciclo biológico, a outra não. Pessoas envelhecem, mas as empresas não podem envelhecer, apesar de idosas. Empresas devem estar sempre exuberantes, belas, jovens, em plena força e vigor. Mas como gerir isso?

Há uma história que circulou diversas vezes entre nós e que pode representar muito bem o nosso anseio em publicar esta obra.

Havia um padre que costumava pescar no riacho que corria nos fundos da igreja. Frequentemente, ele convidava alguns amigos para que lhe fizessem companhia. Certa vez, dois coroinhas, um novato e outro mais experiente, foram convidados para acompanhá-lo. No início da pescaria, após o primeiro arremesso, a linha do coroinha estreante ficou presa no fundo do riacho. Por mais que tentasse, a linha teimava em não soltar. Ao ver aquela situação, o padre pediu que o coroinha mais experiente fosse até o meio do riacho e soltasse a linha do jovem pupilo. O rapaz cumpriu a ordem do padre. Deu um passo riacho adentro, sem que seu pé afundasse; deu o segundo passo, mantendo-se sobre a água; e no terceiro passo, sem afundar, soltou a linha do estreante e retornou para a encosta do riacho. No imediato momento, o jovem coroinha, impressionado com o que seus olhos haviam acabado de presenciar, indagou:

– O que é isso, padre?

O padre, com calma e serenidade, respondeu:

– Isso é a fé, meu jovem.

O jovem, boquiaberto e ainda impactado com tal cena, colocou a isca novamente no anzol e, pela segunda vez, arremessou a linha no meio do riacho. Ao tentar recolher, percebeu que a linha havia ficado presa novamente. Desta vez, o próprio jovem coroinha encheu-se de fé e tentou andar sobre as águas. No primeiro passo dado, afundou como uma pedra. O padre, mantendo sua serenidade, ajudou o jovem a sair do riacho enquanto chamou o coroinha experiente para que explicasse ao novato "o caminho das pedras".

Naquele dia, a água estava alguns centímetros acima do nível normal, cobrindo com uma pequena lâmina d'água um caminho de pedras que possibilitava que as pessoas pudessem chegar até o centro do riacho. Como o coroinha novato não conhecia o local e não sabia que havia pedras abaixo do nível da água, ficou com a impressão de que estava diante de um milagre.

## É MÁGICA?

Interessante que situações semelhantes ocorram frequentemente em nossas vidas e em nossas empresas. Algumas pessoas possuem caminhos, métodos, fórmulas e estratégias muito claras que, aos olhos de quem não as conhece, passam a impressão de que aquilo é um milagre.

Ao longo desta leitura, algo semelhante poderá acontecer com você. Ao aplicar o conhecimento deste livro em sua vida, muitos terão a impressão de que algo mágico está acontecendo com os seus resultados. Isso, porém, nada mais será do que o conhecimento organizado sendo aplicado e gerando o milagre que você procura em sua vida.

Muitas pessoas passam anos tendo que se contentar com resultados médios, porque não tiveram acesso a ensinamentos que oferecessem a oportunidade de alavancar seus resultados. Outros recebem abundância de conhecimentos e informações, mas não os aplicam em suas vidas por inúmeros motivos – seja pela complexidade desses conhecimentos ou, até mesmo, em função da sua baixa capacidade de agir, muitas vezes ocasionada pelo medo.

Saber e não fazer é pior do que não saber. Quem sabe e não faz, perde o direito de utilizar a desinformação como forma de justificar seus maus resultados.

Por isso desejamos, com a mais profunda sinceridade, que você, mais do que apenas ler este livro, consiga aplicar estes ensinamentos na sua vida, transformando de uma vez por todas os seus resultados.

“

***Pessoas envelhecem,***
***mas as empresas não podem envelhecer.***

”

## POR QUE A CULTURA É MAIOR DO QUE A ECONOMIA?

A cultura é o conjunto de hábitos. É o somatório do que é culto com o que é popular. Então, essa junção do que é sagrado com o que é do dia a dia resulta no inconsciente coletivo que tem influência substancial na vida das pessoas. Dessa forma, podemos concluir que a cultura é a união do céu e da terra na vida das pessoas.

Mas por que ela é maior do que a economia?

Existem inúmeras evidências disso – basta analisarmos a história mundial e a história local.

Um exemplo macro que comprova que a cultura é maior do que a economia é o povo árabe, que foi o povo mais rico da Terra e, pode-se dizer também, que foi um dos que mais influenciaram a nossa civilização. Foram os árabes que inventaram a matemática, a engenharia, os arcos, a arquitetura.

Aproximadamente em 700 d.C., porém, um movimento religioso tornou seu povo submisso e sufocou sua cultura. A ampla visão de mundo ficou restrita.

O povo árabe, hoje composto por aproximadamente trinta países, foi tão impactado pela cultura que chegou a viver em situação semelhante a do tempo das cavernas e das pedras. O renascimento é recente.

Trazendo isso para nossa realidade local: se a população fala, permanentemente, mal de sua cidade, é possivel que esse lugar não vá prosperar. As crianças crescem ouvindo todos falarem mal da cidade, então, quando crescem, só querem sair dali. Empresários não investem, comerciantes não investem, o povo não consome. Quando alguém quer comprar algo, ou investir, procura uma cidade vizinha que tenha uma cultura mais desenvolvida. Isso faz com que a riqueza não permaneça na cidade. O funcionário que atenderá esse cliente não será da cidade, o mercado onde ele comprará seus mantimentos não será da cidade, o lanche consumido não será da cidade, os impostos não ficarão na cidade, impedindo que a cidade invista em estradas, escolas, saúde. Assim, a economia da cidade sucumbe em função de sua cultura.

Se reduzirmos ainda mais esse reduto, perceberemos que em nossas próprias casas há desafios culturais. Uns falam mal dos outros, divergindo de opiniões apenas como forma de vingança. Famílias entram em conflito por não saberem debater assuntos nem construir, no círculo mais íntimo, um ambiente harmônico para viver e conviver. Lidar com isso tudo não é fácil.

## A MENTE E A LIDERANÇA

As empresas e as pessoas não foram preparadas para uma interação tão dinâmica, e, como consequência disso, vivemos em uma sociedade medicada. Em um panorama assim, como manter suas raízes e ainda tirar proveito dos diversos modelos empresariais?

Logicamente, isso passará pelo modelo mental da liderança, pois a empresa tem o tamanho do seu líder: são as metacompetências – a competência além da competência, que faz e fará a diferença na organização.

Fala-se muito, atualmente, em mundo quântico, alquímico, em supremacia quântica de uma tecnologia que irá revolucionar o futuro. Fala-se em nova economia, em empresas e profissões que deixarão de existir. Fala-se que os jovens de hoje trabalharão em profissões, funções, cargos e empresas que ainda nem surgiram. Vivemos o momento em que uma infinidade de dados são processados a cada segundo, por computadores cada vez mais modernos e velozes, gerando as mais diversas informações, possibilitando decisões cada vez mais assertivas e inteligentes.

Tudo isso passa pelo ser humano, pela empresa e pelos sistemas de sustentação. Tudo passa pela cultura na qual estamos inseridos e que, queiramos nós ou não, está sendo impactada dia após dia por todas essas variáveis e muitas outras que não citamos aqui.

Analisando-se todo esse contexto – tudo o que chega, o que está por vir e a nossa história –, chega-se a este livro, que tem por objetivo mostrar que é possível ser um bom ser humano e um gestor que tenha firmeza na condução de seu negócio.

É possível ser uma pessoa que tenha generosidade em seu coração, mas que seja rígida com os problemas. Que seja compreensiva com as pessoas e mantenha sua rosa dos ventos com pontos cardeais bem definidos.

Mas por que utilizamos a rosa dos ventos como ferramenta para alcançar objetivos? Porque ela, desde seu surgimento, por volta dos anos 1.300 d.C., sempre esteve ao lado dos corajosos, dos desbravadores, daqueles que não conseguiam ficar parados enquanto o mundo girava. Ela esteve nas mãos dos grandes descobridores deste planeta, indicando o sentido para que as velas das grandes embarcações tivessem direção, mesmo em meio a tempestades nas quais a visão estivesse prejudicada.

Este livro é uma definição de nós mesmos e da vida, e também é a definição do que é necessário para uma pessoa tornar-se alguém melhor, capaz de transformar sua empresa em um negócio ainda mais forte, no que refere ao lado humano de nossas vidas e das instituições das quais fazemos parte.

Parece exagero, sonho, afirmar que é possível ajudar você a ter sucesso, mas não duvide do que os sonhos podem fazer. São eles, muitas vezes tocados por uma ou poucas pessoas, que dão início às grandes mudanças. Uma pessoa, ou um pequeno grupo de pessoas, podem mudar e construir grandes organizações, inclusive grandes nações.

Em um mundo que está em constante movimento, ficar parado, à deriva, definitivamente, não é uma boa decisão. Já existem muitas pessoas assim, vivendo a vida como se acompanhassem apenas o movimento das marés. Pessoas anestesiadas, hipnotizadas em seus mundos, vivendo com a cabeça baixa, olhando apenas para coisas supérfluas que passam nas telas de seus celulares. Lamentavelmente, essas pessoas só percebem isso quando é tarde demais. Para viver de forma plena, é necessário e fundamental ter o objetivo de chegar a algum porto. É necessário ter um propósito na vida. Afinal, você pode ter o melhor carro, aeronave particular, iate que vale milhões; se não tiver direção, andará a esmo e chegará a um lugar que, muito provavelmente, não será o lugar ideal.

Uma passagem que elucida bem a importância de um propósito na vida é o caso da menina pobre que entrou em um estabelecimento comercial e pediu uma moeda ao senhor rude, grosseiro, que lá estava. Aquele senhor gritou com a frágil menina, que não se intimidou e permaneceu, com olhar firme, encarando o bravo senhor, mantendo seu pedido. Após dar outro grito, ainda mais bravo, o senhor percebeu que a menina não arredava o pé do estabelecimento. Foi então que o senhor levou sua mão ao bolso, tirou uma moeda e a entregou para a franzina, mas valente, menina, que não tinha outro plano naquele momento senão levar a moeda para sua família.

Qual é a razão de você ter aberto este livro? O que você procura? Qual é o seu propósito? Já parou para pensar que a solução para os problemas de sua empresa, ou dentro de sua casa, pode estar em você? O estresse que você carrega de um lado para o outro, a falta de objetivos bem definidos, a falta de um método adequado, a dificuldade de separar a vida familiar da profissional, podem ser as razões para muitos desses problemas.

Este é o momento de sentar, respirar fundo, buscar o melhor entendimento para que possamos construir a melhor cultura em nossas vidas. É o momento de pensar o destino, mas também o caminho e a companhia nessa nobre e honrosa jornada chamada vida. É hora de definir uma proteção para o nosso futuro a fim de que estejamos preparados para enfrentar possíveis adversidades no presente.

Navegar em mar calmo todos podem, todos a isso se propõem. Mas navegar em condições adversas é para poucos. A tempestade revela o bom marinheiro. E, para isso, reforçamos a importância da rosa dos ventos, instrumento que aponta para todas as direções e, ao mesmo tempo, é capaz de definir o melhor caminho a ser trilhado. Ela é aliada do sucesso, do aprendizado, da coragem de tentar.

Por isso, construir cultura dentro de uma empresa não é para todos. Mas será para você, após apontar essa ferramenta para dentro de si próprio.

É hora de ajustar as velas da sua vida e da sua empresa. Você está preparado?

Bem-vindo a bordo!

CAPÍTULO 1

# A origem dos problemas

Empreender é resolver problemas. E nossa capacidade de resolvê-los está diretamente ligada à nossa capacidade profissional. Quanto maior for o problema que temos condições de resolver, maior será nossa chance de êxito no mundo dos negócios. Porém, essa importante *soft skill* (habilidade comportamental) requer aprendizagem contínua, já que os problemas empresariais mudam frequentemente.

A quarta revolução industrial está aí para acelerar essas necessidades, o que exige ainda mais resiliência e aprimoramento de todos nós. É preciso compreender que não há nada mais perecível, no mundo dos negócios, do que o conhecimento.

Com o objetivo de nos mantermos sempre atualizados, constantemente sentamos no banco de aprendiz, renovando e aumentando o nosso conhecimento.

Há pouco tempo, estivemos no *campus* de San Diego (UCSD), na Universidade da Califórnia, para uma formação em liderança global. Eu (Gustavo) estive como aluno e Jamil como professor convidado. O objetivo principal era colocar os olhos no futuro para encontrarmos tendências e nos prepararmos para enfrentá-lo. Entretanto, este entendimento é fundamental: para construirmos o futuro também é necessário conceder um olhar especial ao passado.

Os Estados Unidos declararam sua independência em 1776. Os fundadores dessa importante nação, liderados por ícones como George Washington, Benjamin Franklin, Thomas Jefferson e outros, escreveram, então, um destino manifesto para o futuro: construiriam naquele território, até então formado por treze colônias, uma nação independente. Seu modelo governamental deu tão certo que em várias partes do mundo, inclusive no Brasil, esse modelo é utilizado até hoje: os estados são representados pelo mesmo número de senadores, por exemplo. Ou seja, todos têm a mesma voz.

Os fundadores sonhavam com uma nação na qual as pessoas pudessem nascer pobres e morrer nobres, que pudessem ascender de classe social, que fossem livres, pautadas pela liberdade, pela igualdade e pela fraternidade. Que tivessem oportunidade para ser quem quisessem ser, e onde todos tivessem liberdade para isso. Também disseram que gostariam de construir, naquelas terras, uma cidade tão rica quanto Roma – e construíram Nova York – e outra tão bela quanto Atenas – e construíram Washington. Era um tempo em que não havia mobilidade social: em geral, quem nascesse pobre, morreria pobre; quem nascesse nobre, morreria nobre.

Citar a história dos Estados Unidos é interessante, porque desde sua fundação, eles já mostravam muito do que se procura em uma grande empresa nos dias de hoje: mostravam a importância do propósito, a importância do MasterMind® (da mente mestra), a importância de termos pessoas unidas em torno de um mesmo objetivo e dispostas ao mesmo sacro ofício; mostravam a importância de termos diferenciais – inclusive o da inovação.

Um dos exemplos dessa inovação é o armamento utilizado naquele período: as carabinas usadas pelo Exército norte-americano contavam com uma tecnologia que as espingardas inglesas não tinham – ranhuras internas nos canos. Com isso, suas balas saíam em espiral, o que gerava mais direção e distância ao tiro. Então, em confronto, os projéteis dos americanos iam mais longe do que os dos ingleses. O que isso significa? Que desde o início eles já possuíam diferencial competitivo.

Esse modelo repetiu-se com o passar dos anos. Frequentemente percebemos a força do destino manifesto, do sonho dourado americano.

Hoje, os Estados Unidos são uma nação que produz aproximadamente US$ 22 trilhões de produto interno bruto (PIB) com uma população aproximada de 330 milhões de habitantes – em comparação, a China, que é a segunda economia mundial, tem um PIB de aproximadamente US$ 16 trilhões (2021), com uma população de quase 1,4 bilhão. O Brasil possui PIB de US$ 1,4 trilhão (2021) e população de aproximadamente 215 milhões de habitantes.

Os dois maiores *cases* de *marketing* do planeta são a Igreja católica e o capitalismo. É por isso que, quando chegamos a uma cidade, sempre ao lado da praça principal há uma Igreja católica. E é por essa razão que, quando você pega um produto industrializado na mão, muito provavelmente ele terá alguma ligação com os Estados Unidos. Por esse motivo a moeda forte do planeta é o dólar. Essa é a prova de que aquele grupo de 56 pessoas que fundou os Estados Unidos conseguiu organizar algo que deu certo.

Olhe à volta e perceba o quanto o destino manifesto americano aparece na sua realidade hoje. Possivelmente você teve contato com alguma empresa americana nos últimos dias, seja por intermédio de uma compra *on-line*, um lanche, uma compra em supermercado ou por meio de um filme que você pagou para assistir.

## A CADA TROCA FINANCEIRA, UM PROBLEMA SE RESOLVE

Vivemos em um mundo cada vez mais competitivo em função do capitalismo, uma vez que esse modelo permite que qualquer ser humano possa se tornar quem bem entender, inclusive rico e bem-sucedido. É a era do clientecentrismo, que coloca o comportamento do cliente no centro das atenções. O cliente é o grande imperador. E é o mercado que dita as regras do jogo. Vivemos a quarta revolução industrial, em que mudanças e transformações são inevitáveis.

Nesse cenário, o fator determinante para os crescimentos pessoal e profissional é a iniciativa, acompanhada da capacidade que o ser humano, ou a empresa, tem de resolver problemas.

Dentro desse contexto, toda vez que acontece troca financeira, ou seja, toda vez que alguém põe a mão no bolso e paga outra pessoa, esse pagamento resolve um problema. Dessa maneira, a pessoa ou a empresa que resolver problemas grandes crescerá e se desenvolverá. Já aqueles que não conseguirem encontrar soluções, inevitavelmente, ficarão pequenos, frágeis, raquíticos nesse mundo tão competitivo. Consequentemente, precisarão ser amparados (o que é de extrema importância).

## DIAGNÓSTICOS

Para falar sobre como resolver problemas é fundamental compreender o que é um problema. É essencial analisarmos profundamente os pontos determinantes que podem prejudicar o crescimento e o desenvolvimento das organizações, uma vez que problema é sempre uma questão de ponto de vista ou de sobreposição de cenários.

Quando falamos em problemas, falamos de oportunidade. É recomendável comparar cenários, sobrepondo aquilo que temos em nossas mãos em comparação com aquilo que gostaríamos de ter.

Na medicina, por exemplo, um exame expressa uma comparação entre o modo como estamos e como deveríamos estar. Nas empresas, sejam elas do tamanho que forem, podemos utilizar o mesmo exemplo. Quando olhamos para os lucros ao final de um ciclo, podemos compará-los aos lucros idealizados. Caso esses não estejam no tamanho ideal, há uma necessidade de movimentos, de ações, para que possamos melhorar.

Essas ações podem ser mais complexas e pontuais, de maneira que exijam a participação de especialistas, ou podem ser apenas movimentos mais simples, superficiais, executados com aquilo que já sabemos fazer e com ferramentas que já possuímos e dominamos.

Podemos, ainda, utilizar essas duas estratégias, promovendo ações mais complexas e simples, simultaneamente.

A grande questão é que a classe empresarial, de maneira geral, acaba agindo impulsivamente diante de algumas situações. Porém, na vida e nos negócios, é melhor estarmos parados olhando para a direção certa do que correndo para o lado errado.

## PROCESSO RESOLUTIVO

O processo resolutivo deve ser dividido em três etapas: a primeira é a definição dos critérios que utilizaremos, a segunda é a tomada de decisão, e a terceira é o plano de ação. Esses pontos serão abordados mais adiante com mais profundidade.

O segredo para resolver problemas é ser maior do que o problema. Se a dificuldade é grande, precisamos ser maiores, evoluir e ampliar nossa mentalidade.

Uma armadilha em nossas vidas é que agimos sem a certeza de nossas decisões. Isso inverte o processo e faz com que, à tarde, estejamos arrependidos do que fizemos pela manhã, gerando retrabalho e desperdício de energia.

É fundamental sabermos que agitação é diferente de ação. Estar no trabalho é diferente de estar produzindo. Atividade mental é diferente de pensar.

Estes dois fatores – saber pensar e saber agir – sintetizam a importante diferença entre ser rico e ficar rico: ser rico é saber pensar e saber agir. Ficar rico, apenas, pode ter como consequência a perda da riqueza.

Certa vez eu conversava com um jovem empresário que começava a empreender na construção civil. Ele tinha assinado um importante contrato com uma multinacional e tinha um enorme brilho nos olhos. Seu entusiasmo e o ritmo da sua fala eram contagiantes. O otimismo transbordava pelos poros, mas, passado um tempo, a falência o ameaçava: ele não havia previsto questões importantes naquela relação empresarial, e o mundo desabou.

O brilho nos olhos deu espaço a um olhar opaco, triste, frio. A energia vibrante foi substituída pela lentidão de movimentos e pela letargia das ações. Os lucros previstos viraram carnês acumulados em sua mesa. Em função da falta de dinheiro, que é fato gerador de incontáveis conflitos na vida conjugal e familiar, o empresário divorciou-se e agora também sofria com a saudade do filho, que havia nascido recentemente e que ele só visitava uma vez por semana. Ou seja, o sonho havia se tornado um pesadelo.

Por que isso aconteceu?

Por causa do despreparo do jovem empresário na forma de pensar e agir. Ele sabia trabalhar, mas não sabia empreender nem administrar.

Um bom empresário deve ser a resultante do binômio empreendedor–administrador: o empreendedor tem a cabeça nas nuvens; o administrador tem os pés no chão. A soma dos dois resulta em um empresário que sabe ousar com cautela, que faz decolar uma empresa e sustenta seu crescimento e seus resultados.

Nesse importante contexto, para sustentar o crescimento de uma organização é necessário compreender que as empresas são diferentes umas das outras. O que funciona em uma pode não funcionar na outra. A decisão que pode nos beneficiar em um momento pode nos prejudicar em outro. Há empresários habituados com empresas que possuem modelo clássico de gestão, em que existem níveis hierárquicos bem definidos e um processo decisório centralizado. Há outras que possuem modelo de gestão mais dinâmico, com poder descentralizado e dinamismo nas decisões. Há, ainda, empresas clássicas com setores dinâmicos (*marketing*, TI), ou empresas da nova economia com setores clássicos.

Saber liderar, decidir, gerir nossas equipes e a nós mesmos, que estamos inseridos nesse cenário, está cada vez mais complexo e exigente, podendo ser esse o motivo do fracasso permanente de muitas pessoas e empresas à nossa volta.

***É fundamental analisarmos os pontos que podem prejudicar o crescimento e o desenvolvimento das organizações.***

## NOSSA EXPERIÊNCIA PODE ACELERAR O APRENDIZADO

Nós dois, Jamil e Gustavo, trabalhamos há décadas com empresas pequenas, médias e grandes, de diversos setores, de norte a sul do país e, também, fora dele. Empresas que atuam na indústria, no comércio e na prestação de serviços.

Já vimos muita coisa nessa longa trajetória: vimos pais tendo que trocar seus filhos de escola por não conseguirem pagar o ensino particular; empresários saindo de sua mansão e indo viver em um apartamento minúsculo; já vimos casamentos terminarem e famílias serem dizimadas por problemas financeiros; vimos bens sendo arrancados à força de empreendedores que não conseguiram honrar com o parcelamento; e, o pior, já vimos pessoas não suportarem tamanho sofrimento e tentar dar um fim nisso tudo da pior forma possível.

Mas esta nossa caminhada também nos ensinou muito, e uma certeza nós temos: tudo, absolutamente tudo, tem solução. Nem sempre ela é a mais adequada, mas sempre existe uma solução. O desafio é enxergá-la.

Nossas pesquisas e experiências nos levaram a detectar detalhes em corporações que muitas vezes passam despercebidos, mas que podem ser a chave para o sucesso ou o desastre.

Percebemos, nessa jornada de décadas, que frequentemente os pequenos empreendedores sofrem com problemas de fluxo de caixa. O empresário de um pequeno negócio pode não dominar a engenharia financeira, o fluxo de caixa e o custo do dinheiro; com isso, não consegue realizar a compra certa, ou, pelo mesmo motivo, a mercadoria que ele comprou não girou e comprometeu todo o fluxo do dinheiro.

É importante dizer que não existe microempresário. Existe empresário de microempresa. Essa compreensão muda muita coisa: torna a pessoa grande frente a um negócio pequeno.

Sabemos que, no ímpeto de vencer, o empresário da pequena empresa faz qualquer negócio para faturar e se manter – nem que isso signifique ir até o último suspiro.

## HIERARQUIA

Nas grandes corporações a principal dificuldade concentra-se na comunicação: a complexidade e a quantidade de níveis hierárquicos faz com que a cabeça da empresa, que por vezes é composta de uma alta gestão (conselho), pense em uma velocidade muito maior do que o corpo de seu negócio consegue executar, o que o leva a reagir de forma morosa e ineficiente. Ao ampliar os níveis dentro de um organograma, corre-se o risco de a comunicação entre os níveis hierárquicos ser ineficaz.

Imagine a seguinte situação hipotética: em uma fábrica com mil funcionários, o CEO (que é o principal responsável pela operação, o diretor) tem uma ideia e deseja que ela seja implementada.

A ideia deixa a sala de comando e passa para gerentes de áreas diversas – manutenção, administração, comercial, logística, compras, estoque, etc. Os líderes desses setores, de alguma forma, precisarão repassar a mensagem a seus subordinados – seja em uma reunião de troca de plantão, por e-mail, mensagem, por uma circular, mural, ou indo individualmente até os funcionários.

Por haver tantas pessoas hierarquicamente abaixo deles e a falta de uma mensagem com única interpretação, quando a ideia alcança o ponto de execução – seja um vendedor, operador de caixa ou outro – a mensagem chega distorcida ou incompleta. Essa mensagem também pode encontrar uma pessoa que não consegue enxergar o contexto e a importância daquela determinada tarefa, o que leva à sua realização com baixa qualidade e ao desânimo na execução.

É fácil observar quando existe uma visão muito setorizada dos assuntos, sem uma análise do todo: um setor não se envolve com o outro, um superior é boicotado por sua equipe, e assim a empresa vai perdendo a queda de braço para a cultura de que qualquer performance serve.

A dificuldade das empresas que estão no caminho do meio – já não são mais pequenas, mas ainda não são grandes – está na construção de cultura organizacional.

Uma cultura forte tem como consequência o fortalecimento das pessoas que nela estão inseridas:

- Proporciona que todos os elementos do negócio funcionem em harmonia, como um só corpo, com o mesmo objetivo.
- Proporciona um modelo replicável.
- Proporciona ganho de escala e fidelidade aos valores, além de evitar ações perigosamente criativas por parte de alguns membros da equipe que estejam mal inseridos no processo.

A importância da cultura, e da necessidade de uma organização falar uma mesma língua como um todo, levou-nos a realizar um trabalho com uma empresa que administra dezenas de aeroportos pelo mundo. Nosso propósito foi contribuir com a implantação da nova cultura organizacional e promover a adequação dessa cultura nas operações aqui no Brasil.

Operações aeroportuárias são muito complexas e protocolares, uma vez que uma falha na operação pode derrubar um avião, custando centenas de vidas. Por isso, estudam-se tanto os acidentes aéreos e há tanta rigidez de execução dos processos na aviação. E por essa razão, ouvimos aquela famosa frase: você já sabe, mas não custa informar...

Para termos êxito nessa jornada, utilizamos muito do que você está lendo neste livro. Os resultados foram extraordinários.

## COMPREENSÃO DO LÍDER GLOBAL

Uma das principais causas dos problemas nas organizações é que as pessoas não compreendem o papel do líder nos resultados da organização, nem seus limites e áreas de atuação.

Imagine uma pirâmide de cabeça para baixo, na qual o país seja a parte do alto, maior, e sua empresa esteja na base, na ponta menor do desenho. Vamos definir que a parte superior é coordenada por um sistema de gestão macro; a parte menor, onde está sua empresa, é gerida por um sistema micro.

Se a parte macro (o país, a cidade) estiver bem estruturada, as empresas da parte micro terão mais facilidades para se estruturar. O poder empresarial só será bem-sucedido se conhecer e confiar nas leis e na política do país, assim como a política e o país só serão bem-sucedidos se atenderem às expectativas empresariais e sociais. É fundamental que um esteja em conformidade com o outro (*compliance*).

É possível perceber a capacidade de desenvolvimento gerada a partir de uma boa organização observando-se, novamente, os Estados Unidos. Sua fundação e crescimento deram-se a partir do desenvolvimento de seu território, da sua religiosidade e de sua cultura. Ou seja, três pontos de liderança:

- Liderança governamental ou pública: o governo é responsável por construir leis que direcionam as pessoas e a nação; não produz riquezas, mas organiza a sociedade, faz as regras. O governo dá o rumo a todos. É o leme da embarcação.
- Liderança empresarial: é a liderança que produz riquezas, empreende. Se você parar para pensar, nada do que se produz

hoje vem sem uma dose de empreendedorismo. Se não fossem os empresários, ainda estaríamos morando nas cavernas, vivendo no máximo trinta anos, porque não teríamos inventado nem a penicilina. Temos casas, roupas, meios de locomoção, por causa dos líderes empresariais. Eles dão dinheiro para os governos, por meio de seus impostos, para que seja produzida a civilização: saúde, segurança, educação, ruas. Mas os líderes empresariais, para produzir riqueza, muitas vezes são vorazes: produzem riquezas mas destroem matas, jogam esgoto no mar, aterram rios, mangues, a fim de construir fábricas, plantas industriais.

Por esse motivo, o governo precisa ditar normas, regras. E nessa luta do rochedo contra o mar, da geração de riqueza contra as regras, surgem aquelas pessoas que não aguentam essa pressão do sistema – às quais chamamos de vítimas do sistema, os deserdados de toda essa estrutura. E aí entra o terceiro ponto de liderança:

- Liderança social: é o nível que cuida dos povos menos cultos, que passam por mais dificuldades, da população mais necessitada. Igrejas, ONGs, clubes de serviços estão nesse patamar. Todos eles são fundamentais para a sociedade.

Roma (a cidade eterna) também é um *case* interessante nesse contexto. No passado, foi um império comandado por César – líder que se tornou tão poderoso que acabou dando nome a outros imperadores.

A cidade conseguiu formar um império por ter inteligência e capacidade de ampliar e expandir sua influência e infraestrutura, e assim dominar outros povos. Daí surgiu a expressão “todos os caminhos levam a Roma”.

A título de conhecimento: o povo e os territórios dominados pagavam impostos. Mas como a região de atuação do império era muito grande, as pessoas começaram a se sentir desassistidas. As riquezas iam para Roma por meio dos impostos e nem sempre retornavam em forma de investimentos. Daí surgiu a famosa expressão "Quem tem boca vaia Roma" – usada, de forma errônea, como "Quem tem boca vai a Roma".

Voltando ao tema: o que encontrávamos em Roma que identificaríamos nos EUA séculos depois? Os três grandes níveis bem desenvolvidos: territorial, cultural e religioso. Importante: não existe civilização sem religião.

Há também o exemplo do Japão, um país de 153 milhões de habitantes, que teve parte da população dizimada por duas bombas químicas na Segunda Grande Guerra (Hiroshima e Nagasaki), que sofre com terremotos e maremotos, que não consegue cultivar grandes áreas de terra por conta das características de seu território, e que, mesmo assim, transita entre as três principais economias do planeta, com PIB de U$ 5,1 trilhões (2021). O Japão é prova de que a cultura é maior do que a economia, que a cultura é o grande diferencial para o sucesso.

Como citamos a Segunda Grande Guerra, vale lembrar que, nesse período, os Estados Unidos eram a 17ª potência bélica no planeta. Foram bombardeados pelos japoneses em Pearl Harbor – onde perderam boa parte de seu arsenal. O episódio os jogou no conflito e, a partir daí, reorganizaram-se e atualmente (há décadas) são a maior potência bélica do planeta.

Os EUA seguem construindo-se como nação, o Japão conseguiu se reconstruir em poucos anos, e há países que não conseguem desenvolver-se, construir sua cultura, organizar seu povo: é o caso do Haiti

– que até hoje precisa da ajuda de outras nações para se manter com o mínimo de organização. Um país que se tornou independente antes do Brasil e que ainda não conseguiu construir um conjunto de hábitos fortes: não conseguiu investir em habitação, bons costumes, boas rotinas. Sofre com doenças como a cólera, que é a doença da miséria – e que é combatida com higiene pessoal, lavando-se as mãos e higienizando os alimentos antes do consumo.

## QUEM MOVE O MUNDO?

Observamos diariamente esse mesmo fenômeno, em menor escala, dentro de nossas empresas e de nossas rotinas de trabalho. Já conhecemos centenas de histórias, de norte a sul do país, de micro, pequenas, médias e grandes empresas que não conseguiram e não conseguem construir cultura, não conseguem organizar-se para crescer e prosperar.

Pode parecer estranho dizer que são as pessoas – e não a economia – que movem o mundo. Mas as economias são muito volúveis. Uma declaração de um bilionário investidor como George Soros, por exemplo, pode enfraquecer um país em uma semana. A fala de um bilionário como Elon Musk pode impactar um setor da economia, transferindo quase instantaneamente grandes volumes de riqueza para outras mãos.

Agora pense: se um país é impactado a partir de uma declaração de um megainvestidor, como esse país conseguirá se erguer? Com a força de seus líderes. O que o sustentará? Seu território. O que criará conexão entre as pessoas? As religiões.

É esse conceito que está por trás do metagerenciador, das metaorganizações, das metacompetências, que formam o cenário que estamos prevendo. São estruturas e capacidades além das que usualmente conhecemos, que serão fundamentais na sociedade do futuro.

Afinal, a matéria que sustenta tudo isso é o ser humano, que é o motor do mundo.

> **"*São as pessoas – e não a economia – que movem o mundo.*"**

## OS NÍVEIS EM MENOR ESCALA

Da mesma forma que a organização macro aparece bem definida em grandes metrópoles, também é possível percebê-la dentro de nossas empresas através dos níveis de liderança estratégica, tática e operacional.

**Estratégico:** é o líder que produz destinos. De sua boca saem projetos; de sua mente, grandes ideias. É um líder que faz pouca força, mas pensa muito. A palavra estratégia, acrescente-se, vem do grego antigo *stratègós*, que designava o comandante militar da época.

**Tático:** é o que reúne as ideias, estrutura-as e as faz andar; é quem traduz as ideias em procedimentos. Podemos, por analogia, dizer que este é o nível gerencial.

**Operacional:** é aquele que irá executar os procedimentos. É quem pensa menos, mas que precisa fazer mais força para seu trabalho.

Cada vez que um dos líderes citados muda de nível dentro da organização (troca de setor ou é promovido), precisa desenvolver outras competências, outros comportamentos, para não correr o risco de não ser capaz de atender às expectativas e não sustentar a promoção.

O líder que consegue desenvolver essas habilidades, unir a tríade de ser líder, gerente e socialmente responsável, terá uma meta-habilidade, será um metagerenciador. Por isso, apresentamos as metacompetências a serem trabalhadas ao longo desse projeto que você, leitor, tem nas mãos.

Os líderes empreendedores socialmente responsáveis buscam esse desenvolvimento pessoal. É para ajudar esses líderes que existe a Fundação Napoleon Hill e o MasterMind®: desenvolver pessoas por meio da metodologia Experiential Learning, a única que passa por níveis da consciência a ponto de transformar conhecimento em resultados.

Claro que as habilidades não nascem com o ser humano, nós não nascemos prontos. As camadas da personalidade vão sendo formadas, construídas, ao longo dos anos, da jornada da vida. Vamos construindo e sendo construídos. Nós somos resultado das nossas experiências e daquilo que colocamos como projeto de vida. Ninguém nasce resiliente, você desenvolve essa capacidade, ninguém nasce competente. São camadas de personalidade que formaram o ser humano que somos.

Portanto, formar um metagerenciador requer treinamento e preparação. Essa linguagem de alto desempenho só é desenvolvida a partir do momento em que a pessoa tem uma visão de futuro proativa – isso a tornará muito mais forte.

Metacompetência é um termo que nós, do MasterMind®, utilizamos para apresentar as competências que fazem um metagerenciador. O metagerenciador é a pessoa capaz de usar a filosofia, o autoconhecimento, as habilidades, as ferramentas comportamentais e entender a rota da vida para ser uma pessoa que terá melhores resultados.

Todo resultado vem de um comportamento. Todo comportamento vem de uma emoção. Toda emoção vem de um sentimento. Todo sentimento vem de um pensamento. É por essa razão que o livro mais vendido no mundo sobre negócios é *Quem pensa enriquece*, de Napoleon Hill.

Mas qual a origem dos nossos pensamentos? Eles têm origem na forma pela qual percebemos a vida e recebemos informações. Vêm dos nossos cinco sentidos, que são a visão, a audição, o olfato, o tato e o paladar. Ou seja: dos episódios a que assistimos em nossas vidas.

Os acontecimentos de nossas vidas não possuem linguagem semântica: os fatos em nossas vidas são apenas fatos, são neutros. Porém, a nossa interpretação dos fatos nunca é neutra. Sempre há uma linguagem sentimental envolvida. Por isso, é fundamental a cultura na formação de uma nação, de um estado, de uma cidade. A cultura é fundamental na formação de uma organização ou de uma família, pois exerce influência na forma como as pessoas percebem a vida. Ela contribui na formação da mentalidade humana e na formação do pensamento humano. Saber pensar é fundamental.

Saber pensar é a habilidade que permite à pessoa, ao profissional, adaptar-se e prosperar no mundo que vem aí, um mundo de mudanças constantes e cada vez mais velozes. As mudanças são a única certeza da vida. Vida é movimento e, na hora que este acaba, acaba também a vida.

O metagerenciador, esse neologismo que utilizamos no MasterMind®, define uma nova disciplina: o desenvolvimento das metaorganizações – que são mais do que as organizações tradicionais, que vão apenas rio abaixo. Hoje, é necessário, também, saber ir rio acima. Interessante que esse conceito, que é realidade na nossa instituição há anos, com abundância de comprovações, passou a ser utilizado por Mark Zuckerberg no metaverso. Ou seja, conceito mais atual do que nunca.

***Metacompetência é um termo novo que nós, do MasterMind®, temos utilizado para apresentar as competências que fazem um metagerenciador.***

## CORONAVÍRUS: IMPACTOS NA LIDERANÇA

É fundamental tomar decisões enquanto as coisas acontecem. E, por dezenas de meses, enfrentamos uma situação que desafiou todos: a Covid-19.

A pandemia, que começou silenciosa e sorrateira na China ainda em 2019, alcançou povos, corporações e testou a capacidade dos líderes do mundo todo. Atingiu em cheio empresas, cadeia produtiva, sistema logístico global, calendários de grandes eventos, a indústria do entretenimento, o esporte e outros segmentos, com consequências enormes no mercado financeiro e na economia.

Esta não é a primeira vez que o mundo passa por uma situação assim, claro. Nos últimos anos, enfrentamos a síndrome respiratória aguda grave (SARS, 2020); a síndrome respiratória do Oriente Médio (MERS, 2012), a gripe aviária e a H1N1. Com a colaboração de todos, as crises vieram e foram superadas.

E os líderes nesse contexto?

A liderança tem papel fundamental em momentos como esses. As regras mudam de repente, no meio do jogo, e é preciso flexibilidade e rapidez na tomada de decisão. Afinal de contas, o líder é quem decide. Imagine se esse líder entra em pânico: os que estão abaixo dele na hierarquia certamente também entrarão, e o que tende a dar errado vai dar errado. É como a criança que, ao sofrer uma queda, olha para seus pais com o intuito de saber o tamanho do choro. Se ela enxergar pais assustados, o choro aumenta. Se enxergar pais calmos e encorajadores, a criança se levanta e vai para a próxima. Dessa forma, é importante manter a calma e a frieza para pensar no melhor caminho a seguir.

Nosso cérebro atua em três níveis: o reptiliano (ou instintivo), o emocional e o racional.

- O reptiliano integra a camada mais primitiva do ser humano; é dele que vem o instinto de sobrevivência em momentos de perigo ou medo.
- O emocional é o que nos faz perpetuar a espécie; é responsável por nossos relacionamentos, afetos e sentimentos. Pessoas que tomam decisões nesses níveis tendem ao desespero e agem por impulso, prejudicando os resultados, uma vez que não analisam com antecedência as prováveis consequências das suas ações.
- Para que as tomadas de decisões sejam assertivas, é preciso autocontrole e que o nível racional do cérebro seja usado de maneira adequada, a fim de que sejam analisadas todas as hipóteses e seguidas as melhores rotas. Por isso, as empresas que têm suas equipes treinadas têm mais chances de enfrentar esse momento com melhores decisões.

Já passamos por diversos desafios de escalas gigantescas e vencemos. Então, líderes, ergamos a cabeça para assumir o racional e, assim, tomemos as melhores decisões.

## A DIFERENÇA ENTRE LIDERAR E GERENCIAR

Qualquer resultado desejado, em qualquer instituição, só pode ser alcançado por meio de processos e procedimentos. Se a máquina organizacional não funcionar, as coisas não irão acontecer. E uma pessoa em especial, dentro da organização, é um dos pilares que embasa toda a sua estrutura: o gerente.

Quando eu (Jamil) li *O gerente eficaz*, de Peter Drucker, comecei a pensar sobre o que é ser um gerente: ele é o profissional que se encarrega de coisas específicas, de fazer a máquina organizacional funcionar efetivamente. Drucker dizia que a chave para as coisas terem resultados práticos, em qualquer instituição, é ter um gerente eficaz. E a produtividade precisa ser observada dentro desses protocolos.

Esse entendimento tem origem no Taylorismo, um sistema de organização desenvolvido por Frederick Winslow Taylor entre o final do século 19 e o início do século 20, que buscava o máximo de produção no menor tempo possível, utilizando-se do menor esforço.

Quando ele trabalhava na indústria, percebeu que o capitalismo baseava-se no tripé: recursos financeiros–maquinários–recursos humanos.

Atualmente, apesar de estarmos dentro da quarta revolução industrial (período caracterizado por fundir os mundos físico, digital e biológico, também conhecido por Indústria 4.0), a situação é semelhante – mudou a questão das máquinas, que hoje fazem o trabalho repetitivo que, no passado, era feito pelos trabalhadores. Você ainda precisa dos recursos financeiros e das máquinas, mas o ser humano passou a ser um capital intelectual nesse processo. O gerente cuida de todo esse processo interno.

Sua capacidade faz com que, ao focalizar o mundo interno, ele traga à tona as ideias dos líderes – organizando-as em estruturas e recursos.

O líder, por sua vez, focaliza o mundo externo. Analisa os mercados, inventa o futuro, esboça caminhos para materializar projetos. Sua atenção está voltada para linhas estratégicas, para uma visão inspiradora.

Em resumo: o gerente cuida do mundo interno da organização, dos procedimentos; o líder atua no mundo externo e com as pessoas. O gerente faz o controle operacional enquanto o líder inspira. Esse binômio é que faz uma empresa ser eficaz.

E qual é a situação ideal? É aquela em que o mesmo profissional consiga equalizar esses dois mundos. Saiba manter a equipe e saiba manter os procedimentos. O que notamos é que quem é bom em um desses aspectos normalmente deixa a desejar no outro. Esse desequilíbrio deixa a função do líder–gerente fragilizada, pois ele pode ser bom com as pessoas mas frágil com os processos, gerando um ambiente excessivamente flexível; ou pode ser bom com processos e rude com pessoas, deixando o ambiente excessivamente rígido.

Geralmente os empresários, ou empreendedores, não pensam em se desenvolver primeiro para, depois, empreender. Empreendedores nascem de situações muito semelhantes, que podem ser de uma oportunidade ou de uma necessidade: empreendedores surgem de algo não planejado, mas que aconteceu na sua vida – como uma demissão, uma inspiração no negócio do vizinho – ou por terem aprendido alguma atividade e entendido que seria uma boa chance de negócio. Ou seja, o empresário nasce de uma oportunidade disfarçada dentro da própria vida.

Nos primeiros momentos há muita transpiração e raça, energia, aprendizado por tentativa e erro. O empresário é o primeiro a chegar e o último a sair. Trabalha de sol a sol, aos finais de semana, até colocar a casa em ordem. Porém, deixa-se um caminhão de tempo e dinheiro pelo caminho até que as coisas comecem a andar em um ritmo mais acelerado, e, consequentemente, a prosperar.

Por conta do começo atropelado, nem sempre as coisas acontecem da melhor forma. Por vezes o empresário, que está se sentindo sobrecarregado porque já não dorme mais como dormia antes, percebe que precisa de ajuda. Contrata quem? Um sobrinho, um irmão, um primo distante que está procurando emprego, o filho de um vizinho. Contrata para receber ajuda, mas nem ele sabe exatamente o que o contratado precisa fazer. Conflitos e problemas começam a surgir – clientes insatisfeitos, queixas, falta de dinheiro, contratos malfeitos, inadimplência alta. E o empreendedor, que nunca foi preparado para tal situação, começa a se atrapalhar com aquilo tudo. As contas não são mais pagas no vencimento, falta matéria-prima para trabalhar, os funcionários não cuidam do material da empresa que custou caro, como máquinas, ferramentas, equipamentos...

O tempo passa e aquele que antes recebia destaque nas mídias locais, fazendo pose como exemplo de empreendedorismo, transforma-se em um fracassado, um derrotado, um perdedor. Aquilo que antes era o sonho de viabilizar a construção da casa própria, do sustento familiar, de oportunizar a viagem dos sonhos, torna-se um fardo não planejado, um peso, uma catástrofe financeira; o que antes era o desejo de oportunizar o primeiro salário aos familiares e amigos, agora obriga-o a demitir; o que era expectativa positiva vira uma frustração que muitas vezes não tem volta. Isso tudo é consequência de alguém que não se especializou para gerir as coisas ou não desenvolveu a arte de lidar com as pessoas.

“

***Qual é a situação ideal? É aquela em que o mesmo profissional consiga equalizar esses dois mundos. Saiba manter a equipe e saiba manter os procedimentos.***

”

Por que o sonho de grande parte dos funcionários é se tornar empresário, dono de seu negócio? Porque eles pensam que, sendo o “chefe”, poderão fazer o que quiserem, quando bem entenderem e da forma que preferirem, sem prestar contas de seu desempenho a ninguém. Eles pensam que não precisarão ser mandados e querem tomar as próprias decisões – mesmo que erradas.

Porém a vida real não é bem assim. Ser gestor e líder de si mesmo exige disciplina e sabedoria. Exige um alto nível de autoconhecimento e autogestão, pois o fato de não sermos cobrados pode ser uma grande armadilha. Essa armadilha, na grande maioria das empresas e na maior parte das vezes, estanca seu crescimento. É como um teto difícil de ser rompido, pois a limitação está na cabeça de quem está à frente da organização.

Lembro-me de um presidente de uma associação comercial que promovia um evento para, no máximo, duzentas pessoas, pois era a lotação máxima da sala do hotel.

Seu sucessor, porém, levou o evento para uma sala maior, tendo público de quase mil pessoas. Ou seja, a mentalidade de um tinha um teto, enquanto a mentalidade do outro não tinha – não havia limite.

## QUEM MANDA AQUI SOU EU

Quantos empresários você conhece que não querem crescer? Quantos empresários você conhece que já estão satisfeitos com os resultados que possuem?

Por isso é fundamental a constituição de uma autoridade superior, a importância de termos a quem prestar contas – afinal, uma empresa não deve ser pensada para fechar. Uma empresa deve ser pensada para ser cada dia mais forte, maior, mais saudável. O ser humano possui ciclo de envelhecimento biológico; mas a empresa, não. A empresa deve manter ciclos de crescimento, independente do tamanho que já tenha. Não há nada que esteja tão bom que não possa melhorar, porém, quem não tem a quem prestar contas, não presta contas.

O pensamento de muitos desses empresários, quando estão à frente da empresa, leva-os a dizer frases como: "Quem manda aqui sou eu; se quero fazer hoje, eu faço; se quiser fazer semana que vem, eu faço; se eu não quiser fazer, não faço". E quando fazemos isso nos acomodamos, conformamo-nos. Assim, a tendência é buscar mais desculpas do que resultados. A procrastinação de ações que precisam ser feitas nas nossas empresas abrem espaço para que outros façam antes. Esse ato pode não representar grandes perdas imediatamente, mas a sequência dessas negligências é um grande problema. Dificilmente empresas quebram por causa de uma grande falha. Normalmente quebram em virtude das pequenas falhas diárias repetidas por longos períodos de tempo.

Sempre que ocorrem falhas na execução, estas revelam um problema ocorrido antes da execução, provavelmente uma falha ao planejar, uma falha no pensamento estratégico. Ainda hoje, existem muitas pessoas que deixam para aprender sobre a guerra durante a guerra; pessoas que deixam para afiar seu machado durante a batalha – em um momento em que já deveriam conhecer a arte da guerra, ou estar com suas armas prontas, preparadas.

É fundamental contarmos com uma assembleia de vozes que nos ajude a cuidar de nossas empresas – daí a importância de um conselho (a autoridade superior). É ele que poderá ser o crítico das decisões do empresário e contribuir para a melhoria de desempenho da organização, colocando luz nos pontos que precisam ser melhorados, analisando os indicadores-chave, trazendo informações de mercado e propondo ações de melhoria.

Essa assembleia de vozes, ou conselho, costuma existir nas empresas de maneira muito informal e pouco pragmática. Normalmente, é uma conversa com fornecedores, com advogados, com profissionais de contabilidade, de *marketing*, de TI.

Porém pode ser mais formal e protocolar, por exemplo:

- Conselho consultivo: é aquele que costuma integrar profissionais que podem agregar experiência para a empresa. Pode ter herdeiros ou membros da família, e serve para que seja consultado.

- Conselho administrativo: normalmente é orientador, deliberativo, normativo, profissional. Tem características mais técnicas, com gente competente para conduzir as organizações. Em geral, busca descentralizar as decisões do diretor, do CEO, para que a responsabilidade sobre o futuro da organização seja coletiva.
- Conselho fiscal: é um órgão interno independente que busca fiscalizar a operação, contas, impostos, tributos como um todo.

O fato é que devemos arrumar a casa para receber visita – isso não ocorre em nossas residências?

A reunião de conselho, ou chame como quiser o encontro desse grupo, serve para compilar as informações relevantes do negócio e, em uma roda de conversa, promover a melhoria contínua dos negócios.

Esse rito é a grande força motriz das empresas que não permitem que as pessoas se tornem mais importantes do que a organização.

Todas as vezes que um ou mais seres humanos tornam-se maiores do que suas instituições, essas instituições tornam-se falíveis, ou seja, estão sujeitas a falhas. Esse tipo de situação ocorre em empresas, governos, em equipes esportivas... É fundamental tornarmos nossas organizações menos dependentes de nós e de qualquer outra pessoa. Afinal, um talento sozinho não vence o campeonato.

## ASCENSÃO E QUEDA DE UM EMPRESÁRIO

Da mesma maneira que se conta a história da humanidade contando a história de uma pessoa, conta-se a história do empreendedorismo contando a história de um empreendedor.

Conheci no interior do Brasil um desses empreendedores apaixonados, um empreendedor serial, protagonista de uma história semelhante a muitas outras histórias de empresas do Brasil: chegam longe, mas, em determinado momento, passam por uma ruína semelhante à de um castelo de areia – e que não deixa sobrar nada além de lembranças.

O empresário era tipo um professor Pardal – curioso, inteligente, consertava tudo: eletrodomésticos, geladeiras, máquinas diversas. Aquilo acabou se tornando o seu ganha-pão.

Com o passar do tempo, o volume de serviço foi crescendo, ele se aprimorou, desenvolveu-se tecnicamente. Até que um amigo perguntou se ele instalaria um novo equipamento em sua casa.

Era um aparelho diferente dos tradicionais daquela época – falamos de mais de duas décadas atrás. Tratava-se de um climatizador *split*, hoje o mais usado.

O empresário pesquisou, informou-se sobre a instalação, o funcionamento do fluxo de gás, e conseguiu fazer o serviço.

Sempre muito caprichoso, fez o seu melhor, deixou tudo limpo e, assim, começou a ser recomendado para efetuar outros trabalhos para outros clientes.

Era um prestador de serviços operacionalmente excelente; logo contratou um ajudante, depois outro... Começou a comprar equipamentos diretamente de fornecedores. Acabou criando uma grande empresa no ramo, com filiais em diversas outras cidades – inclusive na capital. Com o tempo, tinha dezenas de funcionários, uma grande frota de veículos e um custo operacional altíssimo.

Era, portanto, uma pessoa que tinha muita vontade de sobreviver, de empreender, de prosperar, juntar dinheiro. O que faltou, infelizmente, foi o preparo adequado em outras áreas. Mal aconselhado, não sabia para qual lado correr nas horas importantes. Sua empresa, que já não era mais pequena, havia nascido sem planejamento e estava passando por um período turbulento.

A equipe comercial vendia de tudo, para qualquer lugar – o que muitas vezes gerava sérios problemas com os clientes já que, por questões técnicas ou estruturais, nem todos os lugares podiam receber os equipamentos.

A empresa começou a ter problemas de gestão em diversas áreas, e teve que arcar com uma série de prejuízos, inclusive multas por não cumprimento de contrato; a equipe, por não ter o treinamento adequado, não fazia o serviço tão bem-feito quanto o fundador da empresa faria; a empresa passou a receber reclamações recorrentes por conta do trabalho malfeito e, quando precisava demitir, enfrentava ações judiciais – o que demandava mais recursos não planejados. Além disso, como o empresário preferia contratar jovens em seu primeiro emprego, não havia experiência nem os devidos cuidados que a profissão exigia, como o zelo pela frota, pelos equipamentos de trabalho – o que gerava, além de custo de manutenção, acidentes. Não havia controle do fluxo financeiro nem de caixa. A empresa, nascida da capacidade de seu criador de realizar um excelente trabalho, passou a nadar em problemas por falta de gestão, de preparo, de planejamento, e acabou falindo.

O fechamento da operação levou grande parte do patrimônio conquistado pelo empresário ao longo de sua vida. Mas não levou seu nome, e ainda lhe deixou grandes ensinamentos. Hoje, tenta reestruturar-se – mas vendo o mundo dos negócios de uma maneira diferente. Acredito que, em algum momento, contaremos também a história de sucesso desse mesmo ser humano.

## DERROTA E APRENDIZADO

O que se tira dessa história tão parecida com a história de muitas outras empresas próximas a nós? Que, para um projeto ser bem-sucedido, deve ser bem pensado e bem preparado.

Nós, seres humanos, aprendemos por meio das experiências, de um bom planejamento, que nos possibilita verificar as variantes do itinerário; aprendemos por intermédio de profundas reflexões, normalmente advindas de momentos difíceis; aprendemos da forma mais comum, que é por tentativa e erro.

Naturalmente, essa última forma de aprendizado acaba sendo a que mais deixa dinheiro pelo caminho. Enquanto alguns acertam na décima tentativa, outros já acertam de primeira.

É prática comum, na cultura empresarial brasileira, agir sem pensar. Andar a esmo. Deixar a vida nos levar. No Brasil, costumamos afirmar que não temos tempo para planejar, mas depois temos que ter dinheiro para refazer, para reconstruir.

O exemplo anterior, do professor Pardal que luta para dar a volta por cima no mundo dos negócios, mostra uma empresa que foi muito interessante em um primeiro momento, mas que não conseguiu criar uma cultura organizacional adequada, de alta performance. Com o tempo, perdeu-se em função das decisões equivocadas, sem fazer uma gestão das competências essenciais, não tendo propósito claro nem controle dos indicadores que pudessem evidenciar se estava tendo lucros ou prejuízos, o que deixou a empresa sem comando nas situações que o exigiam.

É uma história que lembra a vivida por uma empresária que comprava roupas e acessórios na rua 25 de março, em São Paulo, e os revendia para as amigas. Com o sucesso da empreitada, resolveu alugar uma sala comercial no centro da cidade em que vivia e contratar vários colaboradores. Sem planejamento, não conseguiu manter as portas abertas.

E que também lembra o caso da confeiteira que tinha uma boa mão para cozinha. Abriu uma pequena confeitaria com todas as suas economias e acabou fracassando por deixar as coisas nas mãos de quem não tinha a mesma capacidade e o mesmo comprometimento.

Cada empreendimento é único, diferente, mas semelhante em suas nuances. Empreender é encontrar oportunidade de oferecer ao mercado um produto ou serviço que facilite a vida do cliente. Exige que conheçamos profundamente a nossa solução, exige que saibamos quem é o mercado que consumirá essa solução (e se consumirá), e exige que tenhamos a equipe preparada para fazer isso tudo acontecer. Falhar em algum desses três pilares é falhar ao empreender.

É normal, no Brasil, as empresas durarem pouco. Dados do Instituto Brasileiro de Geografia e Estatística (IBGE/2017), mostram que 60% das empresas do país fecham antes dos cinco anos. Isso deve-se muito pelo fato de nascerem sem um planejamento adequado e sem uma cultura organizacional clara e estabelecida. Ou seja, as pessoas têm vontade de empreender, mas não se preparam para isso. E acabam levando seus sonhos aos piores resultados possíveis.

Mudanças fazem parte do jogo constante e permanente de adaptação, reinvenção, recriação das empresas. Mas, depois de criá-la, é preciso ter condições de manter a empresa. É como uma pessoa que tem uma casa, mas não tem dinheiro para mantê-la: muitos empresários não têm condições, qualificação, capacidade para levar a empresa adiante. Por quê? Porque em um mercado tão competitivo e complexo como o de hoje, o gestor, o líder precisa saber adaptar-se, mudando, transformando ou, se necessário, fazendo revoluções.

Adaptar-se não é uma opção: é obrigação dos líderes atuais. Eles devem evoluir para que as organizações das quais fazem parte continuem atuais: afinal de contas, o sucesso de ontem não garante o sucesso de amanhã.

## A DIFERENÇA ENTRE MUDANÇA, TRANSFORMAÇÃO E REVOLUÇÃO

As mudanças são rápidas e superficiais. Às vezes o empresário troca a fachada, a cor da empresa – mas a empresa continua com os mesmos problemas. O "jeitão" de fazer as coisas segue exatamente igual.

A transformação, por sua vez, é lenta e profunda. É como a oxidação dos metais. Está acontecendo, mas nem sempre a olhos vistos.

Mudança e transformação acontecem o tempo todo. São constantes que nunca param de acontecer.

Já a revolução deve ser feita com mais cuidado. Ela não acontece o tempo todo – só em momentos pontuais. São desertos que aparecem em nossas vidas e que devem ser encarados, atravessados, pois deserto é lugar de passagem, não de construir morada.

A revolução tem três características: ela é radical, drástica e estrutural.

Radical porque sai de um sentido e vai para outro, drástica porque acontece rapidamente, e estrutural porque é disruptiva e pode mexer nas bases que alicerçam o modelo atual. Ela pode atingir todos os pontos da organização. Fazer uma revolução pode significar reconstruir.

Mas o que isso tudo tem a ver com cultura?

A falta de uma cultura organizacional clara prejudica não somente o pequeno empresário que quer crescer, mas também quem quer crescer dentro da empresa. Por outro lado, qualquer pessoa que dominar a arte de construir cultura, o líder que souber mudar, transformar ou revolucionar a cultura em que está inserido, mantendo-a sempre em alta performance, desenvolverá o que conhecemos como toque de Midas, ou seja, tudo o que ele tocar virará ouro. Ele será capaz de organizar setores e empresas em que estiver inserido e ajudará outras pessoas e empresas a prosperarem com ele. Esse profissional, ou esse empresário, será capaz de fazer com que as pessoas que estão ao seu lado sempre entreguem a sua melhor performance.

Eis a importância de saber fazer gestão de cultura, eis a importância de dominar o método que permite que pessoas comuns produzam resultados geniais.

CAPÍTULO 2

# As armadilhas da jornada

A jornada da vida é recheada de armadilhas. Quando descobrimos onde elas estão, conseguimos evitá-las.

Saiba que o que causa o insucesso de uma empresa é a incapacidade do ser humano, empreendedor, gestor, de dar conta da sua profissão ou das tarefas que lhe cabem. Sabemos que existem três aspectos que são de igual relevância para uma jornada de sucesso: o destino, o caminho e a companhia.

O sucesso e o fracasso de uma organização estão diretamente ligados a seu líder: se é um líder proativo, esclarecido, visionário, conduz a organização a um ponto alto.

Isso fica claro quando observam-se duas empresas do mesmo ramo, que estão no mesmo quarteirão, atuando com o mesmo público, e uma vai à falência enquanto a outra se expande, cresce. A diferença, certamente, está no líder.

As causas dos problemas nas empresas em geral estão nas pessoas: nas que a construíram, ou nos seus líderes. Se os líderes falham, as empresas falham. Alguns líderes não conseguem melhorar a cultura da organização em função de suas crenças. Em resumo, as empresas têm o tamanho da cabeça de seus líderes.

A metáfora do elefante acorrentado, que contaremos a seguir, é uma grande analogia que simboliza muito o que é o ser humano ao longo da vida. Na primeira infância, podemos colocar em nossas mentes e em nossos corações crenças que serão difíceis de arrancar na fase adulta. E isso faz com que limitemos nosso potencial.

Há crianças que, por causa do despreparo de seus instrutores (pais, professores e outros), passam toda sua infância recebendo freios, punições, tendo sua mentalidade tolhida, seus sonhos podados, construindo crenças que, depois de se tornarem adultas, exigirão grandes investimentos, terapias e tratamentos para serem superadas.

A história a seguir, cuja autoria é desconhecida, é usada como exemplo no mundo corporativo: ela fala da vida de um elefante acorrentado.

Certa vez um circo chegou a uma cidade pequena do interior. Era um daqueles circos antigos em que os animais eram a grande atração. E a principal, desse circo em especial, era o elefante.

Impressionante, pesava mais de seis toneladas. Quando estava no picadeiro, sob os holofotes, dava gigantescas demonstrações de agilidade, obediência, destreza, equilíbrio. E, muito por causa dele, o circo estava sempre lotado.

Acontecia que, sempre depois das apresentações, o adestrador o conduzia até o pátio que ficava ao lado do circo e o prendia a uma pequena estaca por uma corrente fixada em seu tornozelo. O elefante tinha força para arrancar não só a estaca, mas uma árvore, ou até arrastar o circo. Mas ele se submetia a ficar preso àquela pequena estaca.

Em um determinado momento, o adestrador foi interpelado por um espectador que estava na plateia, que o questionou: "Adestrador, por que este elefante se sujeita a ficar preso naquele pequeno pedaço de madeira, limitado ao comprimento daquela corrente, tendo tanta força que poderia andar por onde quisesse?".

O adestrador respondeu: "Acontece que quando este elefante era muito pequeno, frágil, não tinha condições de arrancar a estaca ou a árvore na qual ele foi preso. A estaca era mais forte do que ele. Por várias vezes ele tentou arrancá-la e não conseguiu. Com isso, desistiu de tentar".

O elefante possui memória afetiva – por isso se fala que quem lembra de tudo tem memória de elefante. Por essa razão é um animal sagrado, símbolo de vínculos afetivos e emocionais.

Voltando à história:

O adestrador seguiu: "O elefante sofreu com isso, e, para evitar o sofrimento, deixou de tentar romper a corrente. Conformou-se, contentou-se em ficar preso".

O animal desenvolveu-se de forma magnífica, mas a crença de que a estaca era mais forte do que ele permaneceu em sua companhia durante toda a sua trajetória. Até acontecer um episódio marcante.

O circo pegou fogo, e as chamas começaram a se propagar na direção do elefante. Naquele momento, por questão de vida ou morte, o elefante teve que decidir: tentar, pela última vez, arrancar a estaca e sobreviver, ou morrer queimado pelas chamas. Com suas próprias forças, conseguiu arrancar a estaca que há anos o aprisionava e salvou sua vida.

Essa história emblemática tem alguns pontos importantes que servem para nossa reflexão e aprendizado:

**O elefante**

Fazendo uma metáfora com nossa vida, uma analogia com nossa trajetória, quem é o elefante? Somos todos nós, que vivemos, muitas vezes, por memórias afetivas que constituem a nossa personalidade.

## A estaca

As estacas podem ser as crenças que, por vezes, colocamos nas nossas vidas, lá na infância, nos primeiros momentos da escola. Com o passar do tempo, fomos acreditando em coisas que, na fase adulta, carregamos como se fossem uma verdade profunda, mas que, por vezes, apenas nos limitam. Só que nós nos desenvolvemos como seres humanos. Por que viver sujeitos àquelas pequenas estacas, às pequenas crenças? Em algum momento devemos romper essas pequenas crenças que foram instaladas em nós.

## A corrente

A corrente pode significar nossa zona de conforto, nossa área de domínio. Ali, dentro daquele raio de atuação, nós somos os senhores de nosso próprio território. O que está além daquilo nos parece inatingível, inalcançável. Ficamos sempre com a sensação de que nunca iremos conseguir alcançar aquele objetivo – até que aumentamos nossa área de atuação, ampliamos nossa zona de conforto e percebemos que aquilo que antes parecia ser impossível, na verdade, é alcançável. Isso só acontece por meio do desenvolvimento. Só assim podemos ampliar nossa corrente.

## O picadeiro

O picadeiro representa a hora em que precisamos brilhar. É quando estamos no comando de nossa vida e conduzimos as coisas com a melhor performance possível, uma performance digna de aplausos. Quantas vezes na vida optamos por não ocupar o espaço no picadeiro por uma série de motivos ou despreparo?

**O circo**

O circo é todo ambiente que contempla nossa existência; é nossa cidade, o mercado em que atuamos, nosso cliente, as pessoas que fazem parte do nosso ambiente macro de relacionamento, onde nossa empresa está inserida.

**O adestrador**

Imagine o perigo que seria um animal irracional, com todo aquele tamanho, força e vigor, solto, sem um adestrador, dentro do circo? As pessoas correriam riscos. A mesma coisa acontece com um ser humano sem consciência moral, que transita de forma desordenada dentro de uma empresa; ou com uma empresa que não respeita as regras do mercado: ela pode gerar uma catástrofe, causar grandes estragos – que se assemelham a um elefante, sem adestrador, preso dentro de um circo lotado de pessoas.

**O incêndio**

Quantas vezes deixamos para evoluir em situações extremas, quando a água chega no pescoço – ou quando o circo pega fogo? Cansamos de ver pessoas que buscam a evolução quando é tarde demais, quando o fogo já consumiu todo o seu circo. Cansamos de ver pessoas tentando melhorar o seu relacionamento depois que o divórcio já está decretado. É quando bate o arrependimento e se pensa que algo poderia ter sido feito antes, mas não foi, para evitá-lo. Mas há pessoas que, em momentos de emergência, reconhecem em si o grande potencial que estava adormecido.

O melhor momento de se fazer as coisas não é quando o circo pega fogo, mas antes. Têm que ser feitas a partir de um desejo ardente, por uma chama que vem de dentro da gente – e não de fora. Porque às vezes o fogo é tão grande, que se torna incontrolável.

## O PASSADO QUE FAZ O PRESENTE QUE FAZ O FUTURO

Viver é reagir. Normalmente, as pessoas reagem fugindo da dor ou buscando prazer. São esses dois extremos que nos tiram, seres humanos, da inércia na qual nos encontramos. Se não fizermos nada de diferente hoje, teremos no futuro os mesmos resultados que tivemos no passado. Decorre daí a importância de encontrar aquilo que nos estimula para que possamos agir agora. Ou pela dor, ou pelo amor.

Em nossas salas de aula utilizamos o Ciclo de Hollopeppers para explicar como nossa própria mente nos boicota. Todas as vezes que pensamos no futuro, jogamos lá no futuro as referências que tivemos no passado. Por analogia, quando pensamos no destino de uma viagem futura, automaticamente nossa mente buscará um local onde nossa mente já esteve. Por exemplo, quando pensamos em viajar para Paris, nossa mente imediatamente traz a imagem da Torre Eiffel para nossa consciência. Quando pensamos em viajar para o Rio de Janeiro, nossa mente poderá buscar a imagem do Cristo Redentor.

Porém, imagens negativas também aparecem em nossas mentes no momento em que vamos projetar o futuro. É como o ciúme: a pessoa que tem ciúme pode estar jogando no futuro a dor da traição sofrida no passado. Quando desconfiamos de algo, podemos estar jogando no futuro a frustração que já ficou para trás. Por esse motivo, algumas pessoas tomam decisões com a falsa sensação de que estão projetando o futuro, mas, na verdade, estão vendo no futuro o próprio passado.

Normalmente, quando tomamos uma decisão importante, ficamos limitados pelos traumas, complexos e interpretações que tivemos de episódios na nossa vida. Tomamos decisões de futuro contaminadas pelo passado.

É fundamental entender que o passado tem que servir como banco de dados, não como fonte de sofrimento. É necessário tirar proveito dele, usá-lo como fonte de aprendizado.

> **"*Se não fizermos nada de diferente hoje, teremos no futuro os mesmos resultados que tivemos no passado.*"**

Napoleon Hill dizia: "Cada fracasso carrega consigo a semente de um sucesso equivalente". Note-se que a frase fala de semente. Diante disso, é necessário plantar essa semente em solo fértil, regar, cuidar, para que ela germine, cresça como planta para, depois, colhermos o fruto sentados à sua sombra. É assim com as experiências do passado, que não devem servir como fonte de sofrimento, mas sim como fonte de aprendizado. É importante, no momento presente, parar e pensar: "Onde vou utilizar este aprendizado?".

A evolução profissional ocorre quando a pessoa sabe para onde vai. Quando surge a dúvida entre dar ou não o próximo passo, a pessoa fica dividida, parada, estagnada. Essa dúvida a impede de crescer, consome-a, divide forças. Nesses momentos, seja quem for, líder ou não, pensa, duvida, pensa novamente, duvida e não age. E o fato de não agir faz com que ela não aproveite as oportunidades que se desenham ao longo de sua vida.

Quem sabe para onde vai encontra oportunidades a todo momento; quem não sabe, quem não tem clareza, acaba não enxergando e não compreendendo as oportunidades que surgem. O líder decide, o não líder tem dificuldade de decidir. E quando o ser humano está em dúvida, ele não prospera.

## DETERMINISMO MORAL

Aristóteles (384 a.C–322 a.C) disse que quando o ser humano que estiver com muita fome e com muita sede for colocado no meio do caminho entre a comida e a bebida, a uma grande distância de qualquer um dos pontos, terá tanta dificuldade em decidir para onde andar que morrerá pensando. Ele tende a pensar que, se for até a bebida, morrerá de fome; e se for até a comida, morrerá de sede. Ou seja, o ser humano decide e age conforme suas maiores necessidades. Quando não consegue distingui-las, tem dificuldade de decidir.

Outra teoria similar é atribuída ao filósofo francês Jean Buridan (1301–1358). Chama-se teoria do Asno de Buridan. Apresenta um asno (burro) que é posto diante de dois montes de feno exatamente iguais. Como o asno não sabe diferenciar um do outro, acaba morrendo, dando origem ao dito popular "a pensar morreu o burro".

O determinismo moral, que consiste em adiar decisões para que possamos optar pela opção que trará maior ganho, é um ato de sabedoria, pois nos dará acesso a bens maiores – ganhos em cada decisão. O que fragiliza as pessoas é o fato de não saberem o que fazer, ou o fato de não terem clareza sobre os ganhos em determinadas decisões.

O ser humano é constantemente submetido a estímulos, impulsos. Um animal irracional tende a obedecer a esses impulsos, porém o ser humano possui consciência moral – que é cérebro racional atuando como freio do instinto – dizendo-nos o que é certo ou errado fazer. É como se fosse uma balança em que de um lado estão nossos impulsos – nosso eu reptiliano – e no outro está nossa consciência moral, com a qual conduzimos nossa vida – com valores de etiqueta, éticos, morais.

Nessa queda de braço entre a consciência moral e o instinto, a consciência deve sempre vencer. O que dá o grande tempero nisso tudo são as nossas emoções. São elas que pendem para um lado ou para outro na hora das nossas decisões. Claro que algumas dessas decisões também satisfazem nossos impulsos, então, é importante permitir que nossa consciência moral assuma o controle de nossa vida – isso dá poder para o ser humano.

> “
>
> ***Nessa queda de braço entre a consciência moral e o instinto, a consciência deve sempre vencer.***
>
> ”

É como a história do homem que caminhava sobre a divisa entre o céu e o inferno. O Diabo permanecia em silêncio enquanto Deus argumentava insistentemente para que o homem optasse pelo seu lado, tentando convencer o indeciso a ir para o céu. Até que perguntaram ao Diabo o porquê do seu silêncio, e ele respondeu: “Se ele está em dúvida, já está do meu lado”.

O que percebemos, geralmente, são pessoas tomando decisões por impulso e depois justificando o que não é justificável. A pessoa que não consegue conter o impulso de comer senta-se à mesa e repete duas, três vezes. A pessoa que não contém o impulso do jogo bota tudo fora em mesas de cassino. Quem não consegue fazer a transmutação da energia sexual, corre o risco de pôr um futuro em xeque por causa de um prazer momentâneo. É nesse momento que deveria pesar a balança para o lado da consciência moral.

## ERRO CRASSO

Marco Licínio Crasso foi um político romano que viveu de 114 a.C. até 53 a.C. e fez parte do que chamam de Primeiro Triunvirato, uma aliança informal entre Crasso, Júlio César e Pompeu, que tinha como objetivo ampliar a dominação territorial de Roma.

Crasso ganhou muito dinheiro por meio de especulações imobiliárias, porém foi completamente dominado pela ganância, pelo ego inflado e por ciúmes.

A forte aliança do triúnviro começou em 60 a.C. e durou até a morte de Crasso (53 a.C.), que cometeu uma série de erros estratégicos e de falta de planejamento por estar movido pela ganância e pela cobiça de querer obter mais dinheiro, domínio territorial e poder. Ele acabou morto pelo Exército de Parta na Batalha de Carra, após recusar-se a aceitar ajuda e orientações estratégicas.

Crasso optou pelo caminho mais curto e permitiu que seu exército fosse atacado por um número muito menor de soldados de Parta, mas que dominavam técnicas de ataque com flechas que surpreenderam o inimigo.

Há registros de que ouro derretido foi derramado na boca de Crasso como forma de demonstrar a sua ganância.

A expressão "erro crasso" é muito conhecida até hoje e serve para apontar pessoas que perdem tudo por cometer falhas inexplicáveis. Possivelmente você já viu algumas pessoas muito próximas de você que chegaram a patamares extraordinários e perderam tudo por permitir que a soberba, a arrogância e a ganância as impedissem de fazer a melhor leitura do cenário; empresários que alcançaram o sucesso e passaram a acreditar que não precisavam mais dos conselhos de ninguém; profissionais que construíram grandes carreiras e começaram a pisar nas pessoas que estavam à sua volta; pessoas que perderam a humildade e se deixaram inchar de vaidade, tornando-se míopes com relação à realidade que as cercava.

A soberba pode ser revelada nos pequenos detalhes – por exemplo, quando algumas pessoas acham que podem humilhar outras que estão apenas cumprindo sua função, como um garçom que cumpre um protocolo, um porteiro que exige a documentação necessária para permitir a entrada em determinado local, um atendente de banco que recomenda que a pessoa aguarde na fila a sua vez de ser chamada.

Se você estiver atento, perceberá que há muitas pessoas à volta cometendo esse tipo de erro crasso, pondo em risco tudo aquilo que levaram anos para construir.

E se você perceber que esse comportamento vem fazendo parte da SUA personalidade, corrija-o o mais breve possível. Pode ser que você esteja assegurando, assim, a continuidade do seu crescimento e garantindo que seu futuro seja muito acima da média.

É difícil, mas fundamental, evoluirmos no que se refere ao processo decisório. É crucial que saibamos para onde estamos indo. Se acordarmos pela manhã e não fizermos nada, algum estímulo chegará até nós. O tempo não para. Enquanto você lê este livro, suas unhas estão crescendo, os cabelos vão crescer (para alguns), as necessidades fisiológicas vão surgir, o mercado estará evoluindo, estarão ocorrendo novas descobertas, novas tecnologias serão desenvolvidas e nossos clientes estarão sendo abordados por concorrentes.

Por isso precisamos agir: a dúvida é o ato de não decidir; e não decidir é uma decisão, porém inconsciente. É nesse momento que o mercado o engole: a concorrência está aí, em movimento e prosperando.

***Não decidir é uma decisão.***

”

Já comentamos aqui que nossas organizações não podem ser pensadas para fechar. Devemos pensar sempre no seu crescimento. Quando paramos de pensar no crescimento, na melhoria contínua dos nossos negócio, corremos o risco de sermos ultrapassados por quem está correndo ao nosso lado.

Mas é utopia acreditar que teremos a mesma energia todos os dias. Vivemos ciclos de crescimento.

Nas organizações, existem três fatores que dificilmente serão executados dentro do mesmo ciclo: intensidade, frequência e tempo. Os ciclos de crescimento nas empresas funcionam melhor se dois desses três fatores forem aplicados ao mesmo tempo.

Quando vamos à academia, por exemplo, podemos levantar o peso mais pesado que pudermos, mas teremos que optar entre a frequência do exercício e o tempo. O mesmo acontece com quem quer ir à academia todos os dias. Este terá que optar entre o peso e a frequência dos exercícios. Se quiser priorizar a constância dos exercícios, terá que optar entre intensidade ou tempo.

Esse exemplo pode ser trazido para a nossa equipe comercial, para o time de desenvolvimento, para a produção. Respeitar os ciclos de crescimento nas empresas permite que a empresa e as pessoas possam respirar, melhorando os resultados ao final de cada ciclo.

## OS SETÊNIOS

Nossa vida também é dividida em fases, em ciclos. E essas fases interferem em nossas decisões. Uma coisa é a decisão de um adolescente; outra, de um adulto – não entregamos um automóvel para um jovem de doze anos.

Essas fases são divididas em ciclos de, aproximadamente, sete anos – os chamados setênios. Elas acompanham o amadurecimento e o crescimento do ser humano.

Assim acontece, também, com a mentalidade empreendedora: quanto mais os anos passam, mais ponderadas ficam suas decisões. Nem sempre isso significa acerto e erro, mas significa que o impulso tende a dar espaço para uma decisão mais analítica e cuidadosa.

Como os setênios estão divididos?

- No primeiro, o ser humano vive a primeira infância. É mais ligado à mãe e totalmente dependente, não toma decisões próprias. Sua consciência moral está começando a ser construída.
- No segundo, a criança–pré-adolescente começa a consolidar a consciência. É o momento fundamental para educarmos nossos filhos, que começam a se abrir para o mundo. Momento de transmitir pontos importantes da consciência moral que julgamos ser necessária para o enfrentamento das adversidades da vida. Há pessoas que, nessa fase, sofrem traumas complexos que se tornam irreversíveis na fase adulta. É o momento de estimular a memória criativa e o lado afetivo do cérebro.
- No terceiro setênio, o ser humano passa por suas primeiras crises de identidade. É a adolescência. Ele não sabe se quem ele é resulta da vontade própria, ou da influência dos pais (ou de terceiros). Nesse período, a pessoa conquista sua postura e sua liberdade. Agora é a vez do meio, da sociedade, terem papel preponderante em sua criação – assim como já o foram, nos setênios anteriores, a família, a escola, a igreja. Eu, Gustavo, sempre cito esta fase com uma observação: neste período o adolescente, às vezes, despreza o amor de quem verdadeiramente o ama, para obter o amor – ou a aprovação – de quem, por vezes, o despreza. É a história do adolescente que está com a família

no carro, muito bem-comportado, e que muda totalmente seu comportamento ao aproximar-se de seus amigos, de sua tribo. Ele precisa ser aceito por aquele grupo, e para isso tem que desprezar aqueles que o amam.

- No quarto setênio chega-se à fase do centauro. Já existe um adulto com histórias, energia que extravasa, mas ainda pouca sabedoria. É nesta idade, em geral, que os filhos assumem as empresas dos pais – e, por terem pressa, podem cometer erros. Nessa idade, alguns ainda pensam apenas no que vão beber no final de semana. Esquecem de organizar o futuro. Aceitam funções que favorecem o presente, mesmo que isso custe o futuro. Eles não conseguem enxergar o médio e o longo prazos, tomando decisões com base em resultados imediatos.
- No quinto setênio impera a lei da semeadura. Normalmente, nesta fase, as pessoas já entendem que o sucesso dificilmente irá acontecer no imediatismo. É importante olhar as coisas com visão de longo prazo, depois da curva do rio. Fazer as coisas bem-feitas hoje, sem ficar pulando de galho em galho, para que possamos colher os frutos do que estamos plantando. Compreendemos que leva-se tempo para construir o sucesso, que não ocorre do dia para a noite. Nesse ciclo, também, começamos a perceber a importância de sacrificar o presente para obter ganhos no futuro. É a passagem da juventude para a maturidade. Deixamos de ser tão impulsivos para nos tornarmos sérios, maduros. É uma fase em que escolhemos melhor as nossas brigas. Temos a combinação de energia e maturidade para decidir e agir. Podemos avaliar melhor nosso casamento, nosso trabalho, nossas amizades.
- No sexto setênio o ser humano começa a colher os frutos de ter o alicerce sólido dos setênios anteriores. Sente-se seguro

interiormente. Tem a consciência de que é possível realizar grandes sonhos com pequenas ações, desde que sejam constantes. Já tem mais capacidade de julgamento e começa a buscar também valores espirituais – e não apenas materiais, muitos já conquistados. Podem surgir questionamentos profundos, como quem somos, qual o sentido da vida, quais são os verdadeiros valores. É a fase em que consegue-se compreender situações mais complexas, movimentos mais amplos e sutis começam a fazer sentido.

- No sétimo setênio há um recomeço; percebe-se que é hora de mudança, sente-se algo novo. Muitos empresários de sucesso dão início à sua trajetória neste período. É momento de promover a interdependência. Momento de formar novos líderes. Homens começam a perder força no sistema metabólico, sexual e motor. As mulheres, ao fim deste ciclo, entram em menopausa. É hora do amadurecimento da alma.
- O oitavo setênio é considerado, espiritualmente, a fase mais produtiva de nossa jornada. É época de maior moral e ética, tempo de desenvolvimento de valores humanitários e de ensinar. Consegue-se enxergar problemas sob diversos pontos de vista. Há consciência de que o sucesso do futuro reside nas pessoas, no talento de quem as cerca. É o momento de administrar o potencial estratégico, cuidando do que a empresa pode vir a ser.
- No nono setênio, o ser humano sabe que mais de 60% da vida provavelmente já passou. Sabe-se que mais de dois terços das obras-primas da humanidade foram criadas por pessoas que possuíam mais de sessenta anos. Grandes estadistas se destacaram neste ciclo de suas vidas, assim como grandes escritores, grandes artistas, grandes compositores... No nono setênio, os sentidos já não são tão apurados e a pessoa começa a voltar-se

para o seu eu interior. É época de reflexão. Após este ciclo, a pessoa começa a envelhecer e a se libertar de algumas amarras; o ser humano passa a viver de uma forma mais tranquila, além dos sentidos.

Compreender o ciclo de nossas vidas, o ciclo de nossas organizações, fará com que tenhamos mais consciência e lucidez para transitar pela vida. Há pessoas imaturas que tentam avançar o sinal, que não respeitam a sequência das coisas. É óbvio que há pontos que devem ser acelerados – a tecnologia está aí para isto: acelerar o tempo. Começamos o século 20 andando de carroça e hoje existem cidadãos comuns fazendo viagens espaciais.

Porém, o ciclo biológico da vida deve ser respeitado. Uma criança leva nove meses para nascer. Antecipar o parto pode trazer ao mundo uma criança que ainda não esteja pronta para a vida. Compreender a vida é compreender a importância da nossa existência. Compreender o momento cultural em que vivemos é o ponto de partida na transformação que queremos prover.

CAPÍTULO 3

# O mapa do sucesso

Muito se fala sobre tendências dos próximos anos. Muitos pregadores do apocalipse precisaram se retratar depois que suas previsões não se concretizaram. Muitos falaram que tal tendência iria dominar o mercado, que tal profissão deixaria de existir... Há algum tempo, falaram que na década passada o varejo deixaria de existir, e o que vemos hoje é um varejo forte e pujante.

Muita coisa mudou, mas seguimos firmes e fortes.

O MasterMind® resistiu a todas essas intempéries e revoluções. Resistimos ao modismo eventual. Resistimos ao maior de todos os inquisidores, que é o tempo. Por quê? Porque acreditamos em algo que nunca sairá de moda; em algo que foi, é e será a mais importante de todas as inteligências.

Acreditamos que são as pessoas que produzem resultados, sejam eles positivos ou negativos. Sabemos que atrás de um computador existe um ser humano e um coração que bate.

A pessoa que dominar essa inteligência será capaz de dominar todas as outras.

Mas... de qual inteligência estamos falando? Falamos da inteligência comportamental.

Em nossas salas utilizamos essa expressão para definir a virtude profissional que devemos fortalecer nos líderes que passam por nossa organização, ou o tipo de empresário que devemos formar para o mercado. E utilizamos o indicador chamado Quociente Comportamental (QC) para aferirmos esse profissional.

Certamente você já ouviu falar de QI, ou Quociente de Inteligência. O QI foi desenvolvido no início do século 20 pelo psicólogo francês Alfred Binet. O teste de QI era uma forma de medir a inteligência das pessoas – algo que muitos estudiosos já haviam tentado. Esses testes de QI passaram a ser amplamente utilizados dentro das organizações a fim de colocar nas principais cadeiras e funções as pessoas que tivessem a inteligência mais desenvolvida.

Esses testes foram utilizados como verdade profunda até o momento em que o psicólogo norte-americano Howard Gardner – já na segunda metade do século passado – detectou que nem sempre as pessoas que tinham um QI mais evoluído eram as que apresentavam os melhores resultados dentro das organizações.

Ele começou a questionar a inteligência, a lógica e o quociente intelectual das pessoas, então passou a ampliar os estudos que seriam chamados de múltiplas inteligências.

Em 1994, o PhD norte-americano Daniel Goleman publicou *Inteligência emocional*, um livro que avançava na questão do porquê de o quociente intelectual não bastar como avaliação e não resolver o problema da classe empresarial.

Hoje, nós, da Fundação Napoleon Hill, entendemos que o que faz a diferença na vida de um profissional de alta performance é o que chamamos de Quociente Comportamental (QC) – que é a capacidade que o ser humano tem, por meio de seus comportamentos, de produzir os melhores resultados. O QC é gerado pela ação resultante do amálgama, ou seja, da mistura, de nossa consciência moral com os nossos impulsos.

## QUOCIENTE COMPORTAMENTAL

Mas como medir isso? Como testá-lo em nossas empresas e em nossas vidas?

Verificando profundamente os resultados que essa pessoa produziu, ou produz, ao longo de sua vida. Verificando a personalidade que ela edificou para si mesma e os comportamentos utilizados em momentos de emergência.

E o que é um comportamento? É a resultante destas duas grandes forças – a consciência moral e o ímpeto.

Quando permitimos que nossos impulsos vençam, acabamos perdendo a razão e agindo por instinto, por impulso, e tomamos decisões que nem sempre vão gerar os melhores resultados.

Chega um momento em nossas vidas no qual não importa mais a quantidade de conhecimento que acumulamos. O que importa é a nossa capacidade de dar respostas, de aplicar o conhecimento. Esse é o fator relevante do Quociente Comportamental (QC).

Conheço milhares de pessoas que sabem muito sobre muita coisa, mas que colecionam resultados medíocres. Pessoas que investiram fortunas em formações acadêmicas (o que é louvável), mas que convivem com o gargalo medíocre ditado pelo baixo QC. Em compensação, conheço milhares de pessoas que não possuem formação tão robusta, mas que são donas de exuberantes resultados. Pessoas que deixam grande legado por onde passam.

Isso ocorre quando permitimos que nossa consciência moral, que deve ser muito bem lapidada e desenvolvida, assuma o controle de nossas ações. Quando isso acontece, grandes resultados começam a aparecer. Por isso, entendemos que chega um momento dentro da evolução de um ser humano em que não se mede mais a capacidade que ele tem de acumular conhecimento, mas sim de aplicar o conhecimento.

É por essa razão que o Quociente Comportamental (QC) é tão reconhecido no mundo corporativo. Ele é o grande segredo para o profissional conseguir os melhores resultados em qualquer organização.

O QC de uma pessoa vai sendo construído aos poucos – e desde os primeiros anos de vida.

Quando uma criança de três anos entra no supermercado com seus pais (você, leitor, que tem filho, saberá do que estamos falando), a primeira coisa que faz é procurar algo que seja do interesse dela. Ela ainda não sabe se tem que escolher uma coisa, ou se pode consumir todos os produtos que lá estão: pensa que tudo está disponível. Ainda não sabe quais são as regras do jogo. Logo, na sua cabeça, pode tudo.

Naquele momento, os pais começam a construir consciência moral ao dizerem que o que está na prateleira, exposto, não pertence à criança, e sim ao supermercado. Por vezes, se faz um acordo para que ela escolha apenas um produto de seu interesse – um chocolate, por exemplo – para botar no carrinho e para que possa ser consumido depois de passar no caixa e efetuar o pagamento.

Esse exemplo deixa evidente a resultante da fusão consciência moral e impulso. O mesmo esquema, essa mesma equação, ocorre diariamente em nossas vidas. A resultante do somatório dessas equações forma o nosso Quociente Comportamental (QC).

Se você quiser medir o QC de quem está consigo, analise profundamente os seus resultados. Analise sua vida.

***Se você fizer uma gestão competente, conseguirá alcançar seus objetivos.***

O conjunto de valores, a consciência moral, os princípios, são ensinamentos que devem se perpetuar na vida de qualquer ser humano – porém é nos momentos adversos que se mede o tamanho da consciência moral das pessoas. É em situações extremas que as pessoas têm que fazer com que a consciência moral vença o impulso, permitindo que o comportamento seja o mais adequado possível naquele momento, e obtendo, assim, o melhor resultado.

Logo que nos conhecemos, décadas atrás, conversávamos sobre a importância das pessoas no projeto da Fundação Napoleon Hill e do MasterMind®.

Jamil relatou que havia três tipos de pessoas que dariam problemas em qualquer organização. Observe que não é "se" dariam problemas, mas sim "quando" dariam. São pessoas que não podemos carregar conosco em grandes projetos nem colocá-las em cargos importantes nas nossas organizações.

O primeiro tipo de pessoa é o viciado, que fica hipnotizado por bebida alcoólica, por drogas, cigarros, jogos... O viciado demonstra que não possui domínio sobre si mesmo.

O segundo tipo é aquele que conhecemos por analfabetos funcionais, pessoas que não conseguem decifrar letras e palavras e transformá-las em ideias e informações. São também aqueles que não conhecem normas básicas, leis essenciais, que acabam pondo tudo em risco por causa da sua mentalidade estreita.

Esses dois tipos de pessoa são facilmente diagnosticados no mundo corporativo – basta uma dose de convívio com o primeiro e uma pequena atividade com o segundo. Porém, há um terceiro tipo; esse, mais complexo de identificar.

O terceiro tipo de pessoa é o imaturo. Os imaturos são aqueles que até podem possuir uma personalidade atraente e encantadora, mas não enxergam o cenário no longo prazo. São pessoas que não conseguem sacrificar o presente para construir um futuro grandioso. Para identificar o perfil imaturo, existem três assuntos que fazem aflorar a maturidade humana.

O primeiro é dinheiro. A pessoa vende sua alma, sua honra, por meia dúzia de trocados. Outros custam mais caro, mas também possuem preço.

O segundo assunto é sexo. Pessoas que não conseguem conter o desejo e que acabam cantando secretárias de clientes, esposas de amigos ou qualquer pessoa que tenha despertado seu desejo. Napoleon Hill fala sobre o diferencial das pessoas que conseguem transmutar esse desejo para atingir o objetivo principal bem definido.

O terceiro assunto é poder. Sabemos de pessoas que receberam poder e se perderam. Pessoas que se sentiram acima das leis, que acharam que podiam tudo e que as consequências de seus atos nunca bateriam à sua porta.

Esses três perfis estão sempre muito próximos a nós. Conforme ascendemos na pirâmide empresarial, existe uma tendência de maior proximidade ainda, uma vez que nosso nome começa a ficar em voga. Para que possamos nos livrar dessas pessoas é fundamental que saibamos conduzir conversas difíceis. Há brigas que não podemos deixar de brigar.

“

***Há brigas que não podemos deixar de brigar.***

Por falar em brigas, escolher a briga em que vale a pena entrar é um fator que eleva muito a inteligência comportamental.

Há um conceito que expressa muito bem a sabedoria humana, que é o conceito da vitória pírrica.

Em 280 a.C., teve início uma série de conflitos no sul da Itália entre complexas e mutáveis alianças políticas que tinham, no centro, os povos italianos e cartagineses contra os povos da Grécia Antiga.

O rei de Epiro chamava-se Pirro e ganhou fama pelos grandes enfrentamentos contra os romanos. Após uma das primeiras batalhas sangrentas em território italiano, o exército de Pirro saiu vencedor, porém grande parte dos seus mais de quarenta mil soldados foi abatida – entre eles, soldados do mais alto nível hierárquico e da mais profunda confiança do rei Pirro.

Quando um de seus soldados se aproximou, comemorando a vitória, Pirro lançou a frase que entraria para a história: "Se formos vitoriosos em mais uma batalha contra os romanos, estaremos completamente arruinados".

Essas batalhas tiveram como consequência o fortalecimento do exército romano que, posteriormente, enfrentaria as Guerras Púnicas, entre 264 e 241 a.C.

A célebre frase de Pirro deu origem à expressão "vitória pírrica", usada até hoje para nomear batalhas, guerras, brigas, conflitos e discussões que podem ter um preço muito elevado a ser pago.

A cada dia que passa, vemos mais pessoas demonstrando imaturidade ao comprar brigas que não valem a pena. Profissionais com os mais altos cargos que não sabem escolher quais são os conflitos que merecem esforço e dedicação extrema, perdendo grandes oportunidades de colher ótimos resultados para a empresa apenas ficando fora do embate. Relações de amizade que foram construídas ao longo de uma vida toda sendo postas à prova por causa de chacota de time de futebol. Vemos pessoas entrando em debates pelas redes sociais que não levarão a nada.

Escolher bem quais são as brigas que devemos entrar é um gesto de sabedoria. Existem brigas que não podemos perder. Nessas devemos entrar com toda a nossa força. Porém existem derrotas que merecem ser comemoradas, pois entrar naquela briga poderia deixar um prejuízo imenso em nossas vidas, prejuízos não apenas financeiros, mas sequelas emocionais irreversíveis.

Outro dia, enquanto assistia a uma partida de futebol de várzea, a famosa pelada, observei dois amigos de uma vida toda se digladiando dentro de campo. Palavrões e ofensas sendo proferidos como se o mundo fosse acabar dentro das quatro linhas. Foi um exemplo clássico de falta de inteligência comportamental. Aquele conflito não valeu para nada, a não ser para estragar um relacionamento de anos. As pessoas esqueceram que havia vida depois do jogo.

O mesmo acontece em nossas casas, quando um conflito gigante é desencadeado após um motivo torpe, fútil. Uma toalha não estendida após o banho que resulta em divórcio. Um profissional "de mão cheia" que é demitido por uma pequena falha avaliada fora de um contexto mais amplo. Uma família que se perde por causa de uma palavra mal colocada. Enfim, saber lutar é saber viver. Muitas vezes, é melhor abrir mão da razão para sermos felizes. Escolher nossas brigas é um gesto de sabedoria e garantia de sucesso pleno.

## A PIRÂMIDE DA INTELIGÊNCIA COMPORTAMENTAL

É notório que pessoas que sabem se comportar chamam a atenção. São pessoas que se destacam em qualquer ambiente pela sua postura, por sua fala, por sua conduta. Comportamentos assim são muito valorizados no mundo corporativo por empresas que possuem altos padrões de gestão. E, conforme ascendemos na pirâmide empresarial, novas competências são exigidas.

Um conceito utilizado por grandes corporações é o conceito de gestão por competência. Esse modelo promove o casamento perfeito entre o cargo ideal, descrito detalhadamente no organograma da empresa, com o profissional ideal. A empresa sabe tudo o que precisa de um profissional e busca, no mercado ou na empresa, o par perfeito para aquela cadeira.

Como nem sempre é possível encontrar o profissional ideal, as empresas podem qualificar quem estiver mais perto de atender às exigências do cargo. Isso chama-se gestão de competência. Há, também, a situação inversa, que ocorre quando a pessoa que ocupa a função está melhor do que a função. A pessoa deve, então, passar para o cargo as melhorias apresentadas, permitindo que seus pares (pessoas que ocupam a mesma função) possam acessar as novas competências.

O que percebemos em empresas que não possuem gestão por competência é que ações impensadas podem estragar o time. Isso ocorre quando há uma pessoa boa, produzindo em alta performance, e alguém decide promovê-la à gerência. Se a pessoa não estiver preparada para o novo cargo, em função do direito adquirido, ela não poderá retornar para a função anterior, tendo como consequência a sua possível demissão. Perde-se um bom profissional e um mau gerente.

É muito importante destacar que, às vezes, o funcionário que é promovido não está preparado para ocupar aquela função, o que pode deixá-lo exposto e traumatizado. Sempre que alguém é arrancado para fora de sua zona de conforto, a sensação de exposição é tão constrangedora que se assemelha ao sentimento de alguém que fica nu diante de uma plateia. Em alguns casos, a pessoa se recolhe novamente para a segurança da zona de conforto, porém, traumatizada, complexada, com uma ferida muitas vezes incurável. Tempos depois, quando essa pessoa é convidada a sair, novamente, de sua zona de conforto, vai preferir ficar onde está – já que, quando saiu, foi horrível, trágico.

É possível remover esse trauma? Sim, mas nem sempre é fácil.

Canso de ver pessoas que não querem ser promovidas, porque, em um emprego anterior, foram jogadas aos leões, sem a mínima orientação, e apanharam tanto, foram tão exigidas, que optam por nunca mais avançar a um cargo melhor.

É como colocar uma criança em cima de uma bicicleta e exigir que ela, na primeira vez, ande sozinha. Ela não conseguirá. É preciso treino, equilíbrio, preparação. Depois que aprende, pedala com tamanha naturalidade que nem pensa no que está fazendo. Torna-se fácil depois que o processo de preparação está completo.

Para fazermos uma boa gestão por competência, ao promover uma pessoa para o cargo, é fundamental analisarmos dois aspectos:

1. A pessoa está preparada para ocupar a função para a qual está se dispondo ou sendo cogitada?
2. Existe outra pessoa abaixo dela preparada para substituí-la?

Caso uma dessas respostas seja negativa, há grandes chances de a promoção ser conflituosa.

Para avaliar a competência humana, apontamos aqui nove degraus que devem ser respeitados. Para melhor compreensão, imagine um triângulo em que a base representa o primeiro degrau e o topo representa o nono degrau. Pedimos que você imagine que o oitavo degrau seja vazado, semelhante ao triângulo desenhado na nota de um dólar. Esse oitavo degrau deve ser vazado, porque é nele que mora a grande armadilha, ou o grande segredo, da inteligência comportamental, ou Quociente Comportamental:

- O primeiro degrau refere-se à organização nas coisas básicas, como aspectos de casa, do escritório, depósito, agenda... Lembre-se: vida organizada é vida facilitada. Quando somos organizados internamente, essa organização se reflete no mundo exterior. Vida organizada é mais fácil de ser vivida. As pessoas organizadas são mais produtivas, pois não perdem tempo procurando coisas essenciais.
- O segundo degrau refere-se à capacidade que o ser humano tem de gerenciar suas ações em situações normais, naturais da vida cotidiana. Cada função exige um padrão comportamental. Um exemplo: não se trabalha como frentista de posto de combustível de terno e gravata, assim como um advogado não vai a uma audiência vestindo uma camiseta de propaganda de posto de combustível. Cada função e cada ambiente exigem um padrão comportamental adequado. Nesse degrau são consideradas as competências comportamentais exigidas pela função. Recomenda-se contratar pessoas que já sejam boas neste degrau. Se a empresa tiver que trabalhar nesse nível, exigirá maior esforço e investimento.
- No terceiro nível estão nossas capacidades e habilidades. Nesse degrau devem ser observadas as competências técnicas exigidas para a função. A pessoa consegue atender às expectativas geradas? A pessoa está capacitada para exercer a função? Recomenda-se que essas capacidades e habilidades sejam desenvolvidas constantemente na empresa.

Aqui cabe uma importante observação: se você não estiver apto em algum destes três primeiros degraus, você corre o risco de não sustentar a posição em que está. Por isso, recomenda-se melhoria imediata.

- O quarto degrau refere-se às crenças e valores que sustentam a função. Há crenças que impedem as pessoas de cumprir determinada função, como no caso de um vegetariano ter que trabalhar em um frigorífico. Há, também, valores que devem ser exigidos, como lealdade, honestidade, por exemplo. Somos reflexos de nossas crenças.
- O quinto degrau é o degrau do alinhamento. É quando o ser humano começa a perceber que sua função está muito alinhada ao seu objetivo de vida. É quando a pessoa encontra prazer no trabalho, semelhante ao prazer de um *hobby*. Ela se identificou com aquilo que procura, que entende que seja a grande atribuição da sua vida. Eu, Gustavo, costumo dizer que estou na última profissão da minha vida, porque me identifiquei com o que faço hoje – que é contribuir com a transformação da vida das pessoas. Eu me sinto identificado com essa causa.
- O sexto degrau é quando percebemos que existem seguidores, discípulos, pessoas modelando seu jeito de ser. Há outras pessoas andando comigo e querendo ser iguais a mim. Olho para o lado e percebo que estou construindo um exército.
- O sétimo degrau é o degrau que forma um platô. É o nível em que a pessoa percebe que está cumprindo com sua missão de vida. Quando a pessoa percebe que está deixando um legado. É quando percebemos que essa é a mensagem que queremos deixar na Terra.
- Aqui, outra observação se faz necessária. Perceba que a pessoa e a função estão em estado de contemplação. Até aqui, assemelha-se ao que outros autores, como Robert Dilts, já publicaram. Porém, há o oitavo e o nono degraus que a Fundação Napoleon Hill revelou.

- O oitavo degrau é o nível mais desafiador. É a grande armadilha da inteligência comportamental. É ele que impede muitas pessoas de chegarem lá em cima, pois é aqui que mora a capacidade que o ser humano tem de se comportar sob grandes estados emocionais. Aqui aparece a capacidade de suportar pressão, a capacidade de agir apesar do medo (coragem). Quando o profissional se destaca nesse nível, merece a evolução profissional desejada. Há cargos e funções, em empresas ou fora delas, que não questionam mais qual é sua formação acadêmica, ou quantos livros você lê por ano, mas sim se você é capaz de suportar a pressão, se sabe se comportar de forma adequada nas situações mais adversas. É no degrau da capacidade que temos de ser senhores de nossas emoções, capitães da nossa alma, senhores do nosso destino.
- É no nono degrau que transitam os grandes visionários, as pessoas que estão além da linha, pessoas que mudaram a história, a nossa trajetória. São pessoas como George Washington, Benjamin Franklin, Thomas Jefferson – três dos homens que ajudaram a construir os Estados Unidos, o principal país do planeta. No Brasil, podemos citar nomes como Ozires Silva, Raul Randon, Clovis Tramontina... São pessoas e empresários que conseguiram transitar no ponto mais alto da pirâmide e mudaram o cenário ao seu redor, produzindo riqueza, cuidando dos menos favorecidos ou construindo melhores nações por meio do poder político – que também é muito importante dentro deste cenário – do poder econômico e do poder social.

Em 1937, Napoleon Hill escreveu o livro de negócios mais vendido do mundo: *Quem pensa enriquece*. Ao longo da leitura, ele destaca que há um segredo para a afirmação–título que responde à pergunta-chave: "Se todas as pessoas pensam, por que nem todas são ricas?".

Porque as pessoas não sabem pensar! Ter atividade mental é diferente de saber pensar.

Tudo nasce de nosso pensamento. Nossa mente produz milhares de pensamentos todos os dias – só que um percentual altíssimo deles está em nosso inconsciente.

Veja bem: no funcionamento do nosso cérebro, as imagens chegam à nossa mente de forma muito mais rápida do que as palavras escritas. É por isso que nossos pensamentos se traduzem em imagens e, depois, em sentimentos.

Nossos sentimentos são mais superficiais e periféricos do que nossas emoções, e todo pensamento gera um sentimento. Se ele é positivo, consequentemente geramos um sentimento positivo. Se não frearmos nossos sentimentos por meio de uma forma adequada de pensar, eles se ampliarão e passarão a ser um estado emocional.

E o que é a emoção? É o centro de nossos comportamentos, de nossas ações. São os nossos comportamentos que produzem os resultados que buscamos ao longo da nossa vida. Napoleon Hill dizia: "Todo pensamento emocionalizado tende a se materializar".

> **"*Se todas as pessoas pensam, por que nem todas são ricas?*"**

Como vigiar esse estado emocional a fim de produzir os melhores resultados? Ou mudamos nosso jeito de pensar, nosso *mindset*, nosso modelo mental, ou mudamos nossas ações diante das situações. A ação precede o sentimento. Se agirmos com entusiasmo, por exemplo, seremos entusiastas. Assim, conseguiremos alterar resultados.

É como o vendedor que, sentado no carro antes de encontrar seu cliente, dá início a uma tagarelice mental entre sua mente consciente e sua mente inconsciente, ambas dizendo como deve agir e tentando descobrir como será o diálogo entre vendedor e cliente. Se naquele momento o vendedor, já suando de tensão por não saber o que vai acontecer, não vencer sua atitude mental e torná-la consciente, poderá sair do carro e ingressar na loja que foi visitar já como um derrotado. Sua fisiologia estará prejudicada, já que sua atitude mental não estará satisfatória, estará negativa.

Agora, em compensação, se ele sai do carro com total controle de seus pensamentos, convicto de que conseguirá efetuar a venda, é porque foi capaz de transformar sua atitude mental, o que aumenta significativamente as chances de persuadir, de impactar aquele cliente por intermédio de uma boa apresentação. Ele já saiu do carro decidido, em sua mente e em seu coração, a vender. O cliente acabará percebendo a energia positiva daquele vendedor, que está entusiasmado e pronto para fazer o seu melhor.

Você já parou para pensar que as pessoas não compram "o que" vendemos, mas sim "como" vendemos? É por isso que a pessoa que tem uma atitude mental positiva consegue gerar tanto resultado ao longo de sua vida: ela automaticamente se energiza – e é lógico que, no momento em que tornamos os nossos pensamentos conscientes, conseguimos alterar os resultados.

Lembre-se: pensamentos tornam-se coisas. Pensamentos "são" coisas.

A atitude mental positiva, portanto, é fundamental para que se alcancem os resultados desejados.

## APRENDIZADO NAS PROFUNDEZAS DA TERRA

E se trouxermos isso para uma história real, dramática, que chamou a atenção do planeta em 2010?

No dia cinco de agosto daquele ano, 33 mineiros foram soterrados a 688 metros de profundidade dentro da mina San José, que explorava cobre e ouro nas profundezas do deserto do Atacama, no Chile.

Durante dezessete dias as buscas envolveram dezenas de profissionais especializados que tentavam saber se havia algum sobrevivente – o que seria muito improvável.

Porém, o grupo conseguiu manter-se vivo agrupado em uma caverna, racionando comida – chegaram a alimentar-se com uma colher de sardinha a cada 72 horas – e mantendo uma consciência positiva única.

Na primeira mensagem com o mundo exterior, um dos mineiros escreveu em um papel, com carvão, *"Estamos bien en el refugio los 33"* (Estamos os 33 bem no refúgio). Começava aí uma história de trabalho árduo e conjunto para a retirada do grupo de mineiros.

O mundo acompanhou ávido, tenso e esperançoso, pelo resgate. A cada dia, novas informações sobre o avanço do trabalho eram disponibilizadas pela imprensa para um planeta que acompanhava, atento, o desenrolar da história.

O trabalho de preparação do resgate durou setenta dias: entre treze e catorze de outubro, os 33 mineiros – mais cinco socorristas – seriam içados, um a um, pela cápsula Fênix II, produzida pela NASA, de volta à superfície.

O que aprendemos com os mineiros do Chile? Que, quando todos estão unidos em torno de um mesmo objetivo e dispostos ao mesmo sacro ofício, é possível fazer qualquer coisa. Se, durante aquele período de setenta dias – mas especialmente nos primeiros dezessete, antes de conseguirem avisar o mundo exterior que estavam vivos – cada um pensasse em si, no próprio umbigo, possivelmente poucos ou nenhum sobreviveria. Mas naquele momento todos tinham o objetivo conjunto de sobreviver.

Essa passagem da história representa muito bem o poder do MasterMind®. Grandes organizações são constituídas por meio deste mesmo conceito: mentes unidas em torno de um mesmo objetivo e dispostas ao mesmo sacro ofício. Quando convivemos com pessoas que buscam objetivos diferentes, ainda assim podemos contribuir com elas em seus projetos pessoais, uma vez que elas sabem o querem da vida e estão dispostas a se sacrificar para obter o que querem.

Porém, quando convivemos com pessoas que não querem nada com nada, elas acabam dispersando energia, perdendo o foco. Existem muitas pessoas vivendo em cavernas empresariais sem ter um objetivo em comum, que vão até o ambiente de trabalho apenas passar o tempo, sem direção na vida. Há também pessoas vivendo em cavernas domiciliares, suportando a vida, que não conseguiram sequer formar alianças com seus próprios familiares. Pessoas livres de corpo, mas com suas mentes aprisionadas, sem serem capazes de enxergar o horizonte lindo que está diante de seus próprios olhos.

Essas pessoas acabam perdendo força, pois não sabem o que estão construindo em suas vidas e em suas empresas. E quando temos pessoas que sabem o que querem, mas que não estão dispostas a pagar o preço necessário para obter o que buscam, estas acabam contaminando aquelas que estão se sacrificando. Ou seja: o segredo do sucesso é a construção do MasterMind®. É termos pessoas que sabem o que querem e dispostas a pagar o preço para obtê-lo. O segredo está nas mentes unidas em torno do mesmo objetivo e dispostas ao mesmo sacro ofício.

“

***Existem muitas pessoas vivendo em cavernas empresariais sem ter um objetivo em comum.***

”

Imagine a situação, que não deixa de ser comum: uma equipe composta por vários funcionários chegava cedo ao trabalho para começar a produzir. Porém, com o tempo, um indivíduo, recorrentemente, passa a se atrasar para o início da jornada.

Desatento, o líder não percebe o fato, e a má influência de um passa a servir de inspiração para que os outros também comecem a se atrasar. Assim, o sacrifício de todos acabou sendo balizado pelo menos esforçado.

O mesmo acontece com equipes comerciais, times esportivos e qualquer outra atividade que precise de esforço organizado. Bernardinho, o grande treinador de vôlei, deixou um talento fora das Olimpíadas para que o baixo nível de esforço de um não corrompesse o comprometimento dos outros. Quando construímos um time forte, os talentos se destacam. Precisamos ficar atentos a isso.

“

***Pensamentos geram sentimentos, que geram emoções, que geram ações e resultados.***

É preciso adaptar-se às novidades, ao mercado. Não é uma opção – é obrigação. Se os mineiros soterrados não tivessem se adaptado, não sobreviveriam. E essa é uma analogia – literal – da vida e morte de uma empresa.

O que faz as pessoas se moverem, mudarem? Estímulos.

Esses estímulos podem vir de dentro para fora ou de fora para dentro. Pessoas costumam se mover para provar algo a alguém, ajudar um filho, conquistar uma pessoa, ou atingir um objetivo e mostrá-lo a seus pais – que, em algum momento, podem não ter acreditado em sua capacidade. Nesses momentos somos abastecidos por um verdadeiro combustível de transformação pessoal e acabamos nos sentindo fortes a ponto de fazer revoluções. É o que chamamos de desejo ardente.

## SUPERAÇÃO PELO AMOR

Foi o que fez um pai norte-americano, ex-funcionário da Base Aérea da Guarda Nacional, em 1977. Dick Hoyt percebeu que os olhos de seu filho Rick, tetraplégico, brilharam de um jeito diferente enquanto o filho assistia a uma partida de basquete. Após saberem que haveria uma corrida de rua beneficente em sua cidade, que serviria para angariar fundos para um jogador de basquete que havia sofrido lesão na medula e ficado tetraplégico, Dick resolveu que não levaria seu filho para assistir à corrida. Ele o levaria para correr.

Preparou a cadeira de rodas do filho, comprou um par de tênis e lá se foram os dois participar da prova. Mas os olhos de Rick mostravam que ele queria mais. Por isso, Dick resolveu fazer uma grande transformação em sua vida. Após terem obtido ótimos resultados em provas de corrida, a Equipe Hoyt (como era chamada) foi convidada a participar de provas de triatlo.

Dick aceitou a proposta, porém, precisaria aprender a nadar. Ele então comprou uma casa na beira de um lago, em uma região montanhosa. Aprendeu a nadar, adaptou um bote que fosse acoplado ao seu corpo e também adaptou a cadeira de rodas para adaptá-la na bicicleta e na corrida. Na primeira prova, em 1985, foram 1.500 metros de natação, sessenta quilômetros de ciclismo e quinze quilômetros de corrida. Dick se motivava cada vez que percebia a alegria nos olhos do seu filho. Completaram a prova na frente de alguns participantes, o que foi louvável. Em 1986, foram convidados a participar das provas de Ironman, que são as provas mais difíceis do mundo. O homem, que não sabia nadar, aprendeu. E nadou mais de quatro mil metros rebocando um bote com seu filho dentro. Preparou-se para pedalar por mais de cem quilômetros com seu filho na garupa. Preparou-se para correr mais de quarenta quilômetros empurrando a cadeira de rodas do filho. Participaram juntos de centenas de provas de corrida, dezenas de provas de triatlo e de várias provas de Ironman.

Fizeram tudo isso depois de o pai perceber nos olhos do filho a sua verdadeira motivação.

Nossos pensamentos são alimentados por tudo aquilo que vemos, ouvimos e percebemos em nossas vidas. Mas o que nós faremos com isso depende de cada um de nós. O que podemos afirmar é que somos muito mais fortes do que pensamos que somos – basta descobrirmos o que nos move.

***Quando nós descobrimos o porquê da nossa existência, suportamos o como.***

## E AGORA?

Imagine que você e a sua empresa venceram o primeiro sufoco. Conseguiram superar as armadilhas do fluxo de caixa e as finanças estão organizadas. As coisas andam muito bem e você conseguiu se consolidar na posição que ocupa. Agora, você pensa em expandir, abrir filiais, desenhar-se como modelo de franquias ou como rede – mas não sabe direito como replicar seu modelo de negócio, suas rotinas, suas boas práticas em outra unidade de negócio ou replicar o seu setor em outras outras regiões e situações. É exatamente neste ponto que faz-se necessária a construção de uma cultura organizacional clara e própria. Todos estamos inseridos em uma cultura que já existe.

Para fazermos uma boa gestão de tudo isso, precisamos saber construir e aplicar hábitos, rotinas, processos, protocolos nas nossas organizações. Precisamos, também, saber mudar as regras do jogo, as normas, as leis. Todas as regras foram feitas para serem cumpridas: podemos até não concordar, mas, se as descumprirmos, temos que saber que seremos punidos. Caso não tenhamos autoridade para mudar as regras, a alternativa é que façamos um movimento para influenciar quem tem autoridade e poder para mudá-las.

Em geral há uma queda de braço permanente dentro desse ambiente: de um lado, patrões, chefes e líderes fazendo força para que se construa uma cultura de alta performance; e de outro, alguns funcionários sem comprometimento fazendo um esforço gigantesco para que a cultura permaneça do jeito que está, em que qualquer performance basta, é suficiente.

Saber lidar com esse impasse é fundamental para que se consiga construir a cultura da melhor performance.

E o que é cultura?

É um conjunto de hábitos, de costumes, rotinas, protocolos. Cultura é a união do que é culto com o que é sagrado. No dicionário Michaelis, cultura é "o conjunto de conhecimentos, costumes, crenças, padrões de comportamento, adquiridos e transmitidos socialmente, que caracterizam um grupo social; e o conjunto de conhecimentos adquiridos, como experiências e instrução, que levam ao desenvolvimento intelectual e ao aprimoramento espiritual; instrução, sabedoria". Um hábito, por sua vez, é a repetição de um comportamento – uma ação que colocamos em prática e tendemos a repetir.

Para conduzirmos as mudanças e as transformações da cultura na qual estamos inseridos, é importante compreendermos três formas que resultam na evolução cultural das nossas organizações e instituições, que são a repetição, a conscientização e o trauma.

1. Repetição: adquirimos hábitos por meio da repetição de padrões ao longo do tempo. Essa repetição torna-se inconsciente. Exemplos clássicos são: escovar os dentes, dirigir, ler, tomar banho. Normalmente, repetimos padrões sem pensar se estes são ou não os mais adequados. Quase todos nós já ouvimos a seguinte história: o filho pergunta por que a mãe corta o peixe para fritar. A mãe responde que aprendeu com a avó. O menino pergunta para a avó e esta diz que aprendeu com a bisavó. O jovem pergunta para a bisavó e ela responde que é por causa do tamanho da sua fritadeira. O fato é que a fritadeira da mãe comporta um peixe grande inteiro, porém ela corta porque aprendeu assim.

É a mesma situação do vigilante, posto de pé ao lado do banco da praça que havia sido pintado a fim de cuidar que ninguém sentasse. Apesar de terem se passado vinte anos, como ninguém o mandou sair, ele segue cumprindo a missão.

2. Conscientização: muitas vezes as pessoas se comportam de forma errada por não conhecerem a forma correta. No momento em que ela "liga a chave", que coloca luz naquele comportamento inadequado, instantaneamente a pessoa corrige o padrão. É como a história do mecânico de aviação que esqueceu de abastecer uma das turbinas da aeronave bimotor de seu patrão. O avião virou na cabeceira da pista, na hora da decolagem, e o proprietário sofreu graves ferimentos. No hospital, o mecânico pediu desculpas pela falha e disse ao patrão que sabia que estaria demitido, quando o patrão respondeu: "Não, senhor. A partir de hoje, somente você abastecerá a minha aeronave. Você aprendeu da pior forma quanto custa esse erro. A chance de você nunca mais cometê-lo é muito grande".
3. Trauma: é quando se aprende pela dor para implementar uma nova cultura. Temos um cliente que comprou uma indústria de mineração que passava por dificuldades. A jazida era muito boa, porém os equipamentos estavam sucateados e as pessoas estavam profundamente desmotivadas. O empresário estava demitindo todos os colaboradores que lá estavam para poder começar do zero a implantação da nova cultura. Quando o empresário chamou o último funcionário para demitir, este exclamou: "Mas o senhor já vai me demitir? Eu comecei a trabalhar ontem...". O empresário disse que, então, ele ficaria e começaria a ajudar na reestruturação da empresa. Esse é um jeito traumático de implantar cultura. Ele existe, mas nem sempre é o jeito mais adequado.

Ou seja, a cultura pode ser construída por meio da repetição das melhores práticas, da conscientização ou, também, do trauma.

## PREPARE-SE PARA UMA GRANDE (RE)CONSTRUÇÃO

Como contamos no início deste livro, há algum tempo fizemos juntos uma viagem para os Estados Unidos. Atravessamos o deserto de Mojave e, por mais de quinhentos quilômetros, tivemos uma conversa muito filosófica sobre o que representa a cultura para determinados países.

Chegamos a Las Vegas, uma cidade que tem cerca de 650 mil habitantes (sua região metropolitana chega a dois milhões), mas possui um PIB altíssimo. Ela é o exemplo do espírito desbravador do povo norte-americano e comprova a prosperidade do país.

Por volta de 1930, Las Vegas era uma cidade que agonizava no meio do deserto. A expectativa era ainda pior em função da crise econômica que derrubou o país em 1929. Com aproximadamente oito mil habitantes, a cidade sofria com o calor do deserto de Mojave, um dos mais quentes do planeta, sofria com a estiagem e com a falta de suporte financeiro por parte do governo. O lugar corria sérios riscos de sumir do mapa.

Para evitar o pior, o estado de Nevada fez aquilo que ninguém imaginava: flexibilizou algumas leis que regulamentavam jogos de azar e consumo de bebidas. O objetivo central era atrair operários que trabalhavam em uma grande obra que ficava a alguns quilômetros dali. A ação foi o marco para o crescimento.

A cidade acabou se tornando referência mundial em entretenimento para adultos, com cassinos luxuosos, obras faraônicas, prédios exóticos e um cenário completo para gravação de grandes obras cinematográficas.

Essa capacidade de crescer e superar as adversidades é um grande diferencial. A união das pessoas, quando em momentos de emergência, é a comprovação de que grandes culturas podem ser postas de pé, apesar das adversidades.

Saber construir cultura, portanto, é o grande diferencial competitivo de qualquer organização que busca a alta performance. É algo que nós, Gustavo e Jamil, aprendemos com a experiência ao longo do tempo, nestas décadas de convivência entre MasterMinds do Brasil inteiro e de todo o mundo. Não é um aprendizado particular, ou uma história criada por nós mesmos: é uma história feita por um grande número de pessoas.

Em meio a todo esse aprendizado, é importante deixar claro que somos nós os responsáveis por construir a cultura e a realidade que nos rodeiam. Essa cultura, porém, nem sempre é a que desejamos. Muitas vezes somos reféns de uma realidade que floresceu à nossa volta sem que tivéssemos qualquer controle.

Mas não é por isso que devemos nos acomodar. Incomodação gera resultado: quem não se incomoda se acomoda. Quando estamos insatisfeitos com nosso estado atual, mudamos. A indignação com a situação atual é a fonte de energia para que façamos as mudanças necessárias.

Às vezes deixamos para tomar uma decisão, fazer uma mudança na empresa, na vida, quando já é tarde demais. E toda vez que temos que fazer uma mudança por estímulo traumático essa mudança pode deixar sequelas. Já dizia Warren Buffett, megainvestidor norte-americano: "Quando a maré baixa é que se percebe quem estava nadando nu na praia" – ou seja, quando as coisas ficam difíceis, temos que estar preparados.

***Somos nós os responsáveis por construir a cultura e a realidade que nos rodeiam.***

Neste momento sua cabeça deve estar cheia de dúvidas. Até aqui, você avaliou sua empresa e até mesmo sua vida; já detectou pontos falhos e os pontos fortes de sua organização e de sua própria carreira. Já fez anotações, já se comprometeu, já culpou outras pessoas por seus fracassos. E a principal pergunta que segue sem resposta é: como resolver tudo isso?

CAPÍTULO 4

# O caminho do sucesso

Todos nós sabemos que nossas vidas são feitas de decisões; estamos decidindo o tempo todo, porém algumas são mais difíceis de serem tomadas. Nessas situações, precisamos compreender como funciona o processo decisório. Vivemos, ao longo de nossas vidas, inúmeros dilemas éticos que confrontam nossos valores. Sabemos que não existem soluções simples para problemas complexos. Não há resposta fácil para pergunta difícil. Eis a importância de compreendermos o processo decisório.

Imagine-se como o maquinista de um trem com inúmeros passageiros que confiaram a você a condução até o destino. Existem crianças, jovens, adultos e velhinhos viajando nos vagões, pobres e ricos, brancos, pardos, negros, pessoas de todas as religiões. Enfim, são inúmeras pessoas. Chega um momento em que você, maquinista do trem, percebe ao longe algumas crianças brincando sobre os trilhos por onde o trem irá passar. Essas crianças estão desrespeitando uma placa que diz que é "proibido caminhar sobre os trilhos". Você buzina, mas as crianças não escutam, pois estão com um aparelho de som ligado no volume máximo. A velocidade do trem é alta. Não há mais tempo de parar o trem em segurança, e uma tentativa de fazê-lo acarretará uma catástrofe, pondo em risco a vida de todos os passageiros.

Porém, há ainda uma outra opção. Você pode desviar o trem através de uma bifurcação, para um caminho pelo qual o trem não costuma passar, onde as crianças estão habituadas a brincar. Aquele caminho está desativado há anos e não há nenhuma placa proibindo a brincadeira. O desafio é que lá também existe uma criança brincando, porém, é uma criança que possui baixíssimo grau de audição e não escutaria a buzina do trem.

Nessa hora, você precisa decidir. Ressalto que o trem está em movimento. Não decidir é uma decisão, uma vez que o trem irá atropelar as crianças que estão no caminho.

A primeira opção é deixar tudo como está e atropelar aquelas crianças (você calcula que sejam entre cinco e oito crianças, mas não consegue ver exatamente quantas são). A segunda opção é tentar parar o trem, resultando em um grave acidente por causa do descarrilamento. A terceira opção é desviar o trem, atropelando a criança que brinca em local permitido, mas que está brincando sozinha.

E aí? O que você decide? Opção 1, 2 ou 3? Decisão difícil, não é? E se você, que decidiu pela opção 1, soubesse depois de decidir que eram seus filhos que brincavam nos trilhos onde a música estava alta, você mudaria sua decisão? E se você, que optou pela opção 2, soubesse que toda a sua família está viajando nos vagões, tentaria parar o trem mesmo assim? E você, que optou pela opção 3, mudaria a sua decisão se a criança com problemas de audição fosse seu único filho?

Queridos amigos e amigas, NÃO HÁ DECISÃO CERTA OU ERRADA. Todas as três opções podem ser defendidas com ampla argumentação. Porém, o que vai fazer você decidir na hora em que as coisas estiverem acontecendo serão os critérios que você usará. E esse é o grande ponto desse e de tantos outros dilemas éticos que as pessoas que tomam decisões precisam enfrentar.

A nossa vida é feita de escolhas e renúncias. Somos o resultado das decisões que tomamos ao longo de nossas vidas. Muitas delas são fáceis de tomar – como a roupa que iremos vestir, o prato que escolheremos para almoçar, o filme que assistiremos, o livro que iremos ler.

Mas momentos de emergência necessitam muito mais preparo e sabedoria, pois exigem decisões que impactam nossas vidas e a vida de muitas outras pessoas.

“

***Somos o resultado das decisões que tomamos ao longo de nossas vidas.***

”

O desafio é que grande parte de nós não está preparada para tomar decisões complexas. Quantas pessoas você conhece que escolheram algo a fim de obter um prazer momentâneo e comprometeram o seu próprio futuro? Uma compra por impulso, um olhar atravessado, uma palavra dita de cabeça quente, por exemplo.

Muitas de nossas decisões comprometem um futuro promissor porque não conseguimos enxergar o todo, não conseguimos antecipar algumas consequências dessas nossas decisões.

O mais desafiador é que muitas dessas decisões buscam beneficiar apenas a nós mesmos, que estamos envolvidos emocionalmente com a situação ou que seremos impactados por ela, deixando que “exploda-se o resto”, com o perdão da expressão. O enfrentamento de qualquer crise exige decisões sábias e equilibradas. É por isso que precisamos estar preparados.

O processo decisório exige que tenhamos clareza sobre três aspectos fundamentais. O primeiro é a clareza de critérios que devem ser considerados. Somente depois que fizermos um inventário dos critérios envolvidos passaremos para o segundo aspecto, que trata das opções de decisão. Quando sabemos qual o critério a ser usado, decidimos com paz no coração. O terceiro aspecto é a ação após a decisão tomada.

O que percebe-se na prática é que diversas pessoas estão agindo sem ter a certeza da decisão. Muitos agem sem consciência dos critérios (valores) que estão envolvidos no processo decisório. O resultado disso tudo é que as decisões que hoje estão sendo tomadas amanhã podem resultar em graves consequências.

Todo empresário nasce com uma vontade muito grande de prosperar, de fazer as coisas darem certo. Todos nós queremos estar bem na vida.

No início, o sucesso é questão de vida ou morte. Tudo o que depende dele é bem-feito: fica até tarde trabalhando, entrega-se ao máximo, sua, sangra, martela os dedos, viaja, dedica-se noites inteiras.

O que acontece é que, passados esses primeiros momentos, depois de um possível crescimento, ele não consegue construir uma cultura organizacional que possa sustentar tudo isso. Problemas surgem quando o empreendedor passa a depender de pessoas que não fazem as coisas tão bem-feitas quanto ele faz – assim como relatamos no capítulo anterior.

Nesse momento, surge a importância da preparação do líder. Sem a qualificação necessária, ele sucumbirá diante das inúmeras situações desafiadoras que os negócios impõem à rotina diária e profissional. Diante de cenários mais complexos, o líder precisa estar preparado.

“

***Sem a qualificação necessária, o líder sucumbe.***

”

É importante compreender que a “faculdade da vida” nem sempre é suficiente para fazer um negócio ter sucesso. Claro que há exceções, empresários que conquistaram tudo o que queriam e se mantiveram no topo a partir de decisões acertadas e intuitivas; porém, muitos outros ficaram e muitos outros ficarão pelo caminho.

## O MEDO

Em geral, a faculdade da vida tem o medo como principal professor. Por medo de falir, nós nos organizamos. Por medo de sermos roubados, contratamos melhor. Por medo de sermos logrados, levamos nossos contratos para que advogados os avaliem.

Mas pessoas que aprendem pelo medo nem sempre conseguem obter o melhor da vida. Como já dissemos, pode ter sido um aprendizado originado em um trauma, em uma situação constrangedora, que pode ter deixado sequelas – pequenas, médias, grandes.

Aprender apenas pelo medo não basta. Existem outras maneiras de construirmos melhores resultados em nossas vidas. Há pessoas que decidem não crescer. Isso faz com que em determinados momentos seu empreendimento trave; é quando, provocado a crescer com uma segunda loja, por exemplo, o empresário calejado pela vida responde: “Para quê? Para me incomodar?”. É a chamada crença limitante. “Vou abrir outra loja para me roubarem? Não vou estar lá para controlar.” Ele passa a jogar no seu próprio futuro um complexo do passado. Opta por não crescer antes de tentar. Coloca como limitante da própria empresa a sua incapacidade como líder.

É por isso que utilizar apenas a faculdade da vida não é a melhor forma para se conduzir um negócio e prosperar. Não estamos dizendo que ela não é importante, mas sim que ela, sozinha, não basta. Chegará a hora em que o empresário precisará se desenvolver ou terá que entregar sua empresa nas mãos de uma pessoa mais qualificada e que esteja mais bem capacitada para o futuro.

“

***A faculdade da vida não é a melhor forma para se conduzir um negócio e prosperar.***

”

Assim como a experiência de vida não basta para uma empresa ir adiante, só estudar, apenas, também não é garantia de nada. As pessoas hoje são engolidas pela “cultura da qualquer performance”, mesmo aquelas que possuem grandes formações acadêmicas. E quais são as causas disso? Excesso de conhecimento acumulado e pouca capacidade para aplicá-lo. Apenas ter conhecimento não garantirá que tenhamos bons resultados.

Infelizmente, nós, brasileiros, não podemos nos orgulhar dos resultados dos indicadores de educação. As faculdades do Brasil (em geral) têm dificuldades para formar bons profissionais. Muitas delas conseguem a proeza de segurar um estudante por cinco anos, cobrando um dinheiro que ele não tem para pagar, gerando um endividamento em uma fase importante da vida de qualquer cidadão – por meio de programas estudantis – por trinta anos, e o formam sem qualificação.

Existe um desencaixe dentro do nosso sistema de educação. Muitas vezes o cidadão se forma em administração, por exemplo, e acha que no dia seguinte sentará em uma cadeira apto a tocar uma empresa de sucesso. E as coisas não são assim!

Às vezes ele se inspira em um líder que não é líder, que é limitado; às vezes em alguém da própria família, de dentro de seu círculo de amizade, mas que trata-se de uma pessoa que pouco conquistou, e fica recebendo "críticas construtivas" de quem nunca construiu nada! Tudo isso limita um líder.

Quando a cabeça do líder se expande, os resultados dele e da empresa se expandem junto – pois é o líder quem dá a direção. Se abrir a mente e se preparar, irá se desenvolver. É o que somos internamente que causará o que queremos nos tornar externamente. O que evoluir dentro (mente) mexerá, impactará o resultado de fora.

O grande desafio é conseguir fazer isso com as pessoas que carregamos dentro das nossas empresas. Se estivermos cercados de pessoas com mentes limitadas, que puxam a performance para baixo, que dizem "não vai dar certo", "não vamos atingir a meta" mesmo antes de tentar, nós, empresários ou gestores, poderemos perder a queda de braço entre a cultura da alta performance e a cultura da qualquer performance. É algo que está tão enraizado, tão confortável, que muitas vezes o empresário ou líder não tem força suficiente para mudar, porque não sabe como fazer, não sabe como conduzir esse importante processo.

Entretanto, isso tem solução: basta termos o método adequado. O método permite que pessoas comuns produzam resultados geniais; permite que pessoas normais, como você e eu, possamos produzir resultados semelhantes aos dos gênios. Basta que sigamos o mesmo código, a mesma metodologia.

> **"*Às vezes o empresário se inspira em um líder que não é líder, que é limitado.*"**

## PAIXÃO CÔRTES E A CULTURA DO GAÚCHO

Um exemplo ainda mais elucidativo está na cultura do povo gaúcho. O Rio Grande do Sul é conhecido nacionalmente pela força de sua tradição. Algumas empresas espalharam por diversos continentes os costumes dos gaúchos. Um exemplo é a rede de churrascarias Fogo de Chão. Estivemos juntos no centro econômico da metrópole Los Angeles, na Califórnia. Em uma das esquinas mais badaladas da cidade, deparamo-nos com uma dessas belas churrascarias. Fomos atendidos por gaúchos, que estavam vestidos a rigor, com traje completo. Usavam camisa branca, lenço vermelho (adereço) no pescoço, usavam bombachas (calça), guaiaca (cinto), botas. Serviam o tradicional churrasco gaúcho, com pedaços de carne e cortes tradicionais nos recantos do Rio Grande do Sul. Ou seja, a cultura da rede de churrascarias transcendia os limites do estado e também os limites do país, chegando a outros recantos da Terra.

Se você, que está lendo este texto, conseguir deixar no seu negócio o mesmo legado que Paixão Côrtes conseguiu deixar para a cultura gaúcha, pode fechar o livro: seu trabalho já valeu a pena. Mas primeiro, avalie a história para compará-la com a sua.

João Carlos D´Ávila Paixão Côrtes nasceu em 1927, na cidade gaúcha de Santana do Livramento. Morreu 91 anos depois, em 2018, na capital do Rio Grande do Sul, Porto Alegre.

Folclorista, compositor, pesquisador, escritor e radialista, Paixão Côrtes conseguiu a proeza de ser conhecido como o maior gaúcho de todos os tempos. Foi ele quem reapresentou a cultura tradicionalista de seu estado ao povo do Rio Grande do Sul, que já começava a deixar suas tradições no esquecimento da história.

Desde jovem, sempre acompanhado de parceiros com o mesmo ideal, rodou o Rio Grande do Sul, pesquisando hábitos e costumes do campo e dos antigos. Em 1948, fundou o primeiro Centro de Tradições Gaúchas, o CTG 35, e, com o passar dos anos, apresentou livros, discos e textos referentes aos usos e costumes que deveriam se perpetuar entre os gaúchos.

Decodificamos o legado deixado por Paixão Côrtes que, de forma intuitiva, utilizou cinco etapas fundamentais para que seu projeto, seu legado, seu empreendimento prosperassem. Compartilhamos essas cinco etapas aqui, para que você possa aplicá-las na sua vida e nos seus negócios. Porém, antes queremos deixar registrado que a maior lição foi a dedicação exemplar de Paixão Côrtes, o cuidado e o zelo dele por cada detalhe da linda tradição gaúcha.

Seguem abaixo as cinco etapas da construção de cultura, legado de Paixão Côrtes:

1. Realizou uma profunda pesquisa sobre os hábitos e costumes da tradição gaúcha. Portanto, tornou-se um exímio conhecedor do tema.
2. Registrou, de forma escrita, tudo o que havia visto, ouvido e percebido. Assim, tornou-se capaz de perpetuar seu conhecimento não apenas por meio da oralidade.
3. Desenvolveu um manual para que outras pessoas pudessem reproduzir os hábitos e costumes descritos: detalhou a vestimenta do peão (homem) e da prenda (mulher), falou da bota, da

bombacha, do lenço, do chapéu, da guaiaca, da chilena (espora); falou das danças e das músicas tradicionais do gaúcho.

4. Criou os Centros de Tradições Gaúchas (CTGs), onde as pessoas passaram a cultuar e a cultivar a tradição gaúcha. Os CTGs possuem organização, fazendo parte de microrregiões com responsáveis por cada região; também possuem uma hierarquia, nomeando um responsável, um patrão, um líder, por cada CTG.
5. Criou festivais artísticos (concursos culturais tradicionalistas gaúchos, em geral de danças e músicas) e rodeios campeiros (também concursos culturais tradicionalistas gaúchos, porém com competições onde as lidas de campo são exploradas) que levam as pessoas a se encontrarem nos finais de semana para ensaiar, treinar e competir. As pessoas que lá estão costumam fazer rifas, vender almoços, esforçam-se a fim de juntar recursos para, depois, poderem participar e competir nesses festivais. E o mais bonito disso tudo é que, quando ocorre o Enart (Encontro de Artes e Tradição Gaúcha), o maior festival do Rio Grande do Sul, uma vez por ano, integrantes de CTGs que nunca tiveram contato uns com os outros dançam juntos, da mesma forma, a mesma música, no encerramento do evento. Esse é o poder da cultura, da tradição. É impressionante que tudo ocorra sem que a grande maioria das pessoas receba dinheiro por isso.

Hoje, o comportamento de um gaúcho em um fandango (baile típico gauchesco) é exemplar. Dentro do galpão (ou CTG), passa a se comportar como um autêntico gaúcho. O entorno e a cultura tornam seus hábitos ainda mais fortes, arraigados. Estará vestido de acordo com a cultura, dançará suas músicas, usará as expressões típicas. É dentro de um CTG que ele fica mais propenso a se comportar como um gaúcho típico, moldando seu comportamento conforme o ambiente. A cultura é tão protocolar que até mesmo a forma de se cumprimentar, a forma de saudação, é peculiar, singular. Ou seja, os gaúchos se reconhecem entre si.

E o que é isso senão o ambiente moldando o comportamento das pessoas?

O grande segredo do sucesso das grandes organizações é sua capacidade de ter construído a melhor cultura. A cultura molda o comportamento das pessoas. Uma cultura forte fortalece as pessoas que nela estão inseridas. Uma cultura frágil fragiliza as pessoas. A ausência de cultura torna a instituição vulnerável e suscetível a perder-se com o passar do tempo, dando espaço para que outra cultura mais forte assuma o seu lugar.

Mas uma cultura forte precisa de pessoas fortes que a construam. Por analogia, é como o pássaro e suas asas. Quem carrega quem? É o pássaro que carrega as asas ou são as asas que carregam o pássaro? A resposta é que existe uma constante troca de energia. Por vezes é o pássaro que empurra as asas, por vezes são as asas que carregam o pássaro. Essa linda troca permite que o pássaro alce grandes voos.

***A cultura e as pessoas são como o pássaro e as asas. O pássaro carrega as asas e as asas carregam o pássaro.***

Essa mesma troca fará a sua cultura decolar. É a cultura cuidando das pessoas e as pessoas zelando pela cultura.

Dessa maneira, a grande solução (olha a gente dando a resposta aí...) para qualquer instituição é a construção de uma cultura de alta performance, de alto rendimento. Cultura que se perpetue, que seja replicável, contínua e atual, mesmo com o passar dos anos.

Segue aqui mais uma importante orientação: uma boa cultura organizacional deve contemplar três pontos: ter uma visão clara de futuro, ser inovadora e priorizar os relacionamentos. Visão, inovação e relacionamentos são fundamentais em uma cultura próspera.

"

***Uma cultura organizacional sólida é capaz de moldar o comportamento das pessoas.***

"

## TÃO PERTO E TÃO LONGE

É tão forte o impacto da cultura no comportamento das pessoas que chega a ser irônico. Vejam o exemplo de Gramado, cidade localizada na serra do Rio Grande do Sul, no Brasil.

Gramado é uma cidade gaúcha com cultura de cidade europeia. Coisas que não funcionam em outras cidades brasileiras funcionam em Gramado. Por exemplo: o trânsito, a limpeza das vias, o cuidado com os jardins, o respeito com os pedestres, a vestimenta, os hábitos, rotinas de idas a cafés.

A culinária é extraordinária. As acomodações são de altíssima qualidade. O plano diretor da cidade é exigente e rigoroso, fazendo com que a arquitetura respeite um padrão singular e característico. A prefeitura possui uma invejável infraestrutura para manter os jardins sempre lindos.

O melhor hotel do mundo está em Gramado (segundo o *ranking* Tripadvisor Travellers'/2020). Um dos pontos comerciais mais caros do Brasil está em Gramado (na esquina da avenida Borges de Medeiros com a rua Coberta). A cidade da serra gaúcha é o segundo destino turístico mais procurado do Brasil, ficando atrás apenas do Rio de Janeiro.

Mas como pode uma cidade com 31 mil habitantes possuir aproximadamente catorze mil leitos de hotel?

Para fins de comparação, Porto Alegre, que é a capital do Rio Grande do Sul, possui 1,4 milhão de habitantes e aproximadamente 5,6 mil leitos hoteleiros. Como pode uma cidade com 31 mil habitantes receber aproximadamente 6,5 milhões de turistas por ano?

Por que Gramado se transformou nessa potência turística? Por causa da cultura.

A cultura é maior do que a economia. A cultura molda o comportamento das pessoas. É mais fácil Gramado mudar o comportamento do turista que vai até lá do que o turista mudar o comportamento da cidade. Em Gramado, caso algum motorista desavisado não pare na faixa de pedestres, receberá um corretivo imediato da população. Caso algum pedestre atravesse a rua pisando em algum canteiro com flores, será alertado de imediato. Em Gramado, ao arrancar com o carro da vaga de estacionamento, o motorista evita ligar o limpador de parabrisas para que o papel relacionado ao pagamento do estacionamento não saia voando, sujando a via. O motorista tomará o devido cuidado para pôr o papel em alguma das lixeiras espalhadas por toda a cidade. É a cultura moldando o comportamento das pessoas que nela estão inseridas.

## CULTURA ORGANIZACIONAL RUMO AO ESPAÇO

Outra comprovação de que a cultura é maior do que a economia aconteceu na década de 1960. Em meio à Guerra Fria entre Estados Unidos e União Soviética, a América elegeu seu segundo presidente mais jovem (depois de Theodore Roosevelt) e, até hoje, o único presidente católico: John Kennedy.

Ele chegou ao cargo mais alto do país tendo em sua campanha uma canção muito tocada nas igrejas evangélicas norte-americanas na época, e que falava do sonho dourado americano. Com essa canção, ele conquistou o coração dos evangélicos e, automaticamente, milhões de votos. Outro destaque foi sua veemência, o quão enfático era o discurso de John Kennedy em relação a esse desejo – não importava raça, religião, partido. Ele queria que as pessoas se unissem em torno de um projeto de nação.

Essa questão do sonho americano até hoje é muito real, muito presente. Nasceu em conjunto com a fundação dos Estados Unidos e foi amplamente utilizada por Kennedy durante seu período de notoriedade. No seu discurso de posse, revelou um destino manifesto, um sonho, que era o de fazer, ainda na década de 1960, um norte-americano chegar à Lua – antes de um soviético. Ele foi além, dizendo que a espaçonave seria construída com metais ainda não descobertos.

John Kennedy foi assassinado em 1963, mas o sonho americano não morreu com ele. Isto é fundamental: a visão de uma instituição não pode falhar. As pessoas são suscetíveis a erros e falhas, mas o sonho não pode falhar. A filosofia de Napoleon Hill deixa esse ensinamento bem claro: as pessoas bem-sucedidas não têm plano B. O plano B delas é fazer o plano A dar certo.

> ***As pessoas são suscetíveis a erros e falhas, mas o sonho não pode falhar.***

Com a morte do presidente, seu vice, Lyndon Johnson, assumiu o posto. Johnson já era chefe do Conselho Nacional de Aeronáutica Espacial, incumbido por seu antecessor, agora morto, de liderar a corrida espacial – uma vez que a União Soviética havia pulado na frente ao realizar o primeiro voo tripulado ao espaço, em 1961.

Em determinado momento, Johnson foi fazer uma visita à National Aeronautics and Space Administration (NASA), a agência espacial norte-americana, que na época possuía mais de quatrocentos mil funcionários. Acompanhado de sua comitiva, notou a presença de uma pessoa que trabalhava na agência, mas que ostentava um uniforme que não era imponente. Aquela senhorita simples, chamada Bridget, trabalhava no setor de serviços gerais, como cuidar da limpeza, dos banheiros, do cafezinho. Ela provavelmente tinha a função mais simples de toda a cadeia operacional da agência espacial, talvez o menor salário.

Johnson a chamou, educadamente, porque queria pedir um copo de água. Ao abordá-la, perguntou-lhe o seu nome. Ela, um pouco nervosa por estar diante do presidente dos Estados Unidos, respondeu-lhe prontamente. O presidente indagou-a novamente, perguntando o que ela fazia na NASA. A resposta, surpreendente, é o exemplo perfeito de cultura organizacional forte e disseminada entre todos os funcionários da instituição. Apesar de ter a função de limpar banheiros, servir água e café, ela afirmou: "Eu ajudo a levar o homem para a Lua, Sr. presidente". Bridget estava envolvida incondicionalmente com a visão da NASA, que era conquistar a Lua e levar o primeiro ser humano ao satélite da Terra.

Naquele exato momento o presidente teve certeza de que o projeto seria realizado, pois a grande maioria das pessoas, independentemente da posição e do nível hierárquico, estava unida em torno do objetivo da NASA e disposta ao mesmo sacro ofício.

Seis anos depois, em 1969, Neil Armstrong pisou na Lua: o projeto havia se materializado. Apesar das falhas humanas, apesar do assassinato do presidente Kennedy, o sonho dourado havia se mantido e se tornado realidade.

“

***As pessoas bem-sucedidas não têm plano B. O plano B delas é fazer o plano A dar certo.***

”

O que queremos ao contar essa história? Mostrar que toda empresa, para crescer, precisa ter UMA SÓ VISÃO. Mas ela não pode estar somente na cabeça do dono, ou dos líderes de setor. Tem que estar compartilhada pelos quatro cantos da corporação para que todos possam contribuir, saber para onde estão indo, para que se crie, assim, uma mente mestra – um MasterMind: todas as mentes se unem em torno de um mesmo objetivo, dispostas ao mesmo sacro ofício.

CAPÍTULO 5

# Rosa dos ventos: o passo a passo do sucesso

Falamos no capítulo anterior que a visão é a direção na vida, é o propósito que, por sua vez, é a proteção para o futuro. É por isso que se fala tanto em empresas e empresários com propósito: quando ele é nobre, há uma aliança com o futuro – e isso faz com que as pessoas o sigam.

Depois de ler tudo isso, já pensou em qual será seu próximo passo?

Durante muito tempo você projetou sua empresa. Conheceu o mercado, investiu, prosperou, contratou funcionários, as coisas vão bem. Mas no fundo, como bom empreendedor, sabe que algo precisa ser feito para que o crescimento seja constante e sadio.

Neste capítulo, vamos nos organizar para o futuro.

Primeiro, uma pergunta: Você conhece a rosa dos ventos?

A rosa dos ventos foi criada para resumir os ventos que sopram por determinado tempo, e suas direções. Nela, estão representadas as direções fundamentais (norte, sul, leste, oeste) e as intermediárias. Em geral é desenhada com quatro, oito ou dezesseis pontos.

Criada no século 14, a rosa dos ventos tornou-se uma das ferramentas mais importantes para a navegação – especialmente no passado, quando os barcos utilizavam velas para serem impulsionados. Foi graças a esse instrumento – e à bússola (instrumento inventado pelos chineses e que utiliza o campo magnético da Terra para apontar para os polos norte e sul) – que a navegação conseguiu expandir a exploração marítima em qualquer tipo de clima.

A rosa dos ventos atualmente tem uma simbologia de direção na vida, e está ligada às boas escolhas e à coragem de mudar. É usando sua simbologia que você, a partir de agora, irá construir uma empresa com uma cultura organizacional forte.

## QUATRO PONTOS CARDEAIS PARA O GESTOR

Há duas maneiras de usar a rosa dos ventos em benefício do empreendedor ou do gestor: externa e internamente.

Se ele olhar para dentro de si, introspectivamente, entenderá que depende de si próprio o desenvolvimento de seus projetos pessoais e a criação, neste caso, de uma cultura de autoconhecimento e autodesenvolvimento. É importante considerar que todo sofrimento repousa na distância entre estes dois questionamentos: quem sou eu (autoconhecimento) e quem eu quero ser (autodesenvolvimento).

As ações, porém, precisam ser coordenadas para fora, externamente, analisando o mercado no qual estamos inseridos. Como já falamos aqui, somos seres integrais e integrados.

Na época das grandes navegações, os ventos que levavam os navios para alto-mar eram chamados de ventos de êxito, de saída (em grego, *exodus*; em inglês, *exit*). Eram eles que ajudavam os aventureiros a saírem da segurança dos seus portos em busca de sucesso, de resultados positivos, a vencer o medo do desconhecido e da mudança.

Depois, eles precisavam encontrar ventos que os ajudassem a regressar para casa, para seus portos de origem; esses ventos eram chamados de *Ob Portus* (oportunos) – e daí deriva a palavra oportunidade. Tais ventos levavam os viajantes à segurança: quando temos para onde voltar, sentimo-nos mais seguros para ir além.

Ao olhar a rosa dos ventos, percebemos quatro direções principais (os pontos cardeais) – norte, sul, leste e oeste – e suas subdivisões (pontos colaterais) – sudeste, nordeste, noroeste e sudoeste.

A rosa dos ventos da empresa feita para prosperar, ou do metagerenciador, também é dividida em pontos cardeais e colaterais.

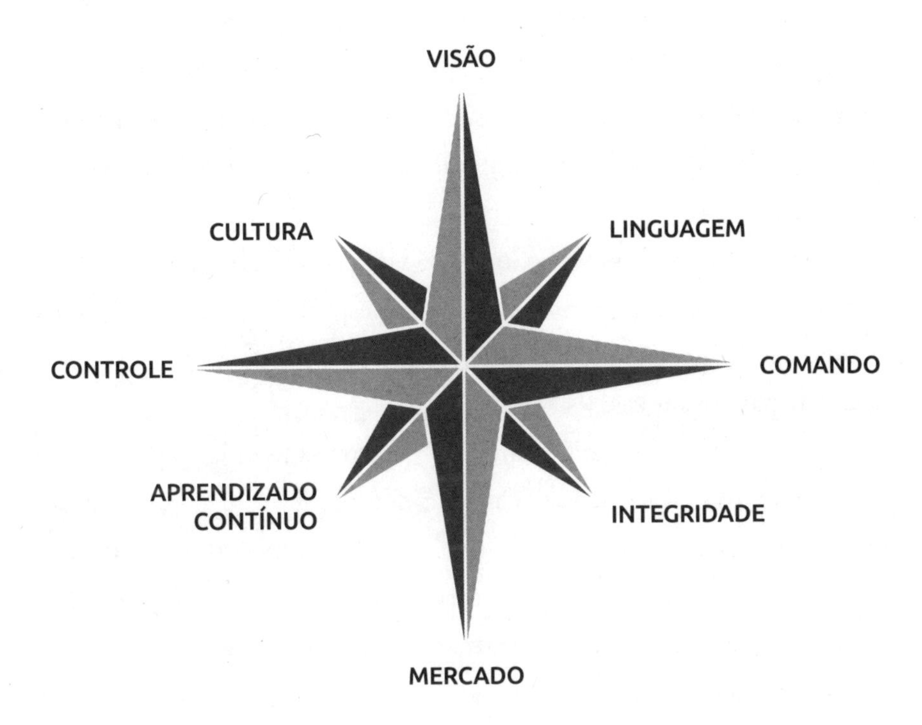


Mas entre todos esses pontos há um que não indica direção, e que merece nossa atenção: é o EIXO da rosa dos ventos, ou propósito. O ponto que dá origem a tudo, e que abraça todo o conhecimento.

Dele partem todos os pontos cardeais, todos os caminhos possíveis; para ele convergem conhecimento, experiência, as derrotas e as vitórias. Dali partem as aventuras rumo ao desconhecido, a ousadia, a vida e seu descortinar rumo ao triunfo; para ele, retornam os que trazem na bagagem o ouro da conquista e as lágrimas das quedas. Ele é porta e coração, alma e corpo, o início de todas as realizações.

## PROPÓSITO

O cerne de toda a questão é: como podemos construir uma empresa com propósito? Usando como base a filosofia de Napoleon Hill.

Em suas pesquisas, Hill percebeu que o propósito é o início de todas as realizações. E, diferentemente do que muitos pensam, ele difere de objetivo e missão. Propósito é interno, objetivo e missão são externos. O propósito é uma proteção para o futuro da própria vida, é a razão de existir.

Temos muitas missões ao longo da vida: no trabalho, na escola, na família, na sociedade, com amigos, com a espiritualidade. A missão é a mensagem, um mensageiro que leva algo a alguém. Missão é o que você faz para os outros.

Temos apenas um propósito, um determinado objetivo, por isso, quem tem propósito não tem pressa: domina a ansiedade, move-se com direção, tem uma agenda de ações. O nosso propósito de vida não se cria – em geral, se revela, é detectado: com o tempo você começa a entender que é aquilo que energiza, que determina o seu entusiasmo, a sua motivação.

Por exemplo, o propósito do professor é ensinar, o do médico é salvar, o do empreendedor é solucionar problemas.

O propósito é o somatório da visão, missão, metas, filosofia e valores. Se conseguirmos impregnar nosso DNA emocional com esse propósito, encharcar nosso inconsciente, começaremos a nos mover com uma energia muito grande. Não esqueça: o propósito é a caneta do destino, o trilho da vida; quem tem propósito não tem medo do amanhã.

Ele deve ser curto: ter uma frase-núcleo que escancare toda a sua vontade de viver e vencer. É a frase que descreve o que, para você, seria uma vida extraordinária.

Como criar essa frase?

Tente responder questões como: o que faz você diferente no mundo? Por que o mundo é um lugar melhor em função de você existir? O que mais o entusiasma no mundo? O que mais o irrita no mundo?

Aponte pelo menos duas causas pelas quais você estaria disposto a morrer. Quem não sabe por que morrer, não sabe por que viver. Eu, Jamil, tenho o propósito de ser um evangelista da realização pessoal. Eu, Gustavo, tenho o propósito de apresentar as pessoas a uma versão melhorada de si mesmas.

Mesmo sendo este um livro empresarial, ele se dedica, também, ao caminho evolutivo do ser humano. É fundamental o desenvolvimento interno para que seja possível sustentar o externo.

O propósito faz parte desse caminho evolutivo: se o ser humano e a empresa passam por ele – o que, em linguagem filosófica, chamamos de "Caminho do Guerreiro" – é viável que empresa e pessoa realmente queiram ter uma vida transformadora, épica.

Não é por acaso que em alguns programas do MasterMind® trabalhamos no acionamento do guerreiro interno. O ser humano precisa passar pelo conhecimento de seu universo interno para poder alterar sua realidade pessoal, precisa fazer do conhecimento uma ferramenta de transformação interna e externa. A individualidade interna é representada por sua realidade mental, e, quando consegue traduzir essa complexidade em uma linguagem de fácil compreensão, ele consegue adesão para seus projetos. Isso vale para a vida e para as empresas.

## SUL – DOMINE O MERCADO

O sul é a necessidade de o empreendedor dominar o mercado onde seu negócio está inserido. Ao olhar para fora deve saber como o mercado está se comportando e como sua empresa pode atuar nesse espaço.

Eu, Jamil, costumo utilizar muito a seguinte frase: "No mundo corporativo, capitalista, o mercado não faz graça para ninguém: só faz o que lhe convém". Portanto, nada virá de graça – é necessário dominar seu negócio, o seu segmento, conhecer a solução que está ofertando e saber se o mercado necessita dessa solução para sair-se bem.

Se o que sustenta todo o sistema é o propósito, três pilares são sua base: mercado, produto e equipe. O mercado precisa de consumidores, de produtos e de uma equipe que o sustente.

A economia (palavra que em sua origem significa "a arte de bem administrar a casa") é composta por diversos tipos de mercado. Os macros e os micros; de matéria-prima, de ações, de bens de consumo, de trabalho, de tecnologia; existem as *commodities* e o mercado intelectual, o de massas, o segmentado. Tudo isso regido por leis – e, portanto, a importância dos governos.

O mercado financeiro precisa ter leis bem definidas, taxas de juros e outras medidas para que seja forte. Existe o mercado ideal? Não. Existe o que se regula por si só – o que não é muito comum – pelo consumo, mas precisa de reguladores macro, que são os governos.

Qualquer empresa para existir tem que estar em um mercado, em um ambiente social, um ecossistema de negócios, de troca de bens e serviços. Esse ambiente deve ser organizado por ofertantes, vendedores e consumidores, que são os componentes que equilibram esse sistema muito tenso.

Imagine esse grande mercado onde todos estão inseridos: a imagem mais fácil que temos para ilustrá-lo é de uma grande feira, com muita vivacidade, cores, fartura, beleza e feiuras também. O mercado é nervoso por si só, tem altos e baixos.

Ele é o motor do mundo? Há quem defenda a tese de que ele e os negócios sejam. Esse entendimento mostra – ou comprova – a importância desse ambiente: a humanidade tem estruturas fixas, como países, religiões, culturas. Os negócios estão no meio disso tudo, equilibrando relações. Por essa razão, afirmamos: sem o mercado nada disso anda, mas as pessoas são o motor do mundo – sem elas, não existe mercado.

"

***As pessoas são o motor do mundo – sem elas, não existe mercado.***

"

Como a empresa, para existir, precisa ter mercado, é necessário que tenha produtos e serviços que possam ser consumidos por aquele mercado: não adianta ter a melhor fábrica de berimbaus do Brasil no Rio Grande do Sul, tampouco a de melhor cuias dc chimarrão na Bahia. Até é possível que se venda algo, mas não o suficiente para sustentar a organização. Hoje, as empresas precisam analisar seu micromercado (o jardim de sua casa) até o macro – que pode ser, no caso do e-commerce, o mundo.

Esse mercado precisa ter normas – não devem existir monopólios ou oligopólios, por exemplo – criadas e controladas por agências reguladoras que normatizarão esse ente invisível (mercado) por intermédio de seus serviços (visíveis). Um mercado exige diversos requisitos – entre eles um elevado número de vendedores e compradores, transparência e livre acesso à informação.

O mercado regula-se por si só, sem interferir na vida das pessoas – apenas definindo quem tem ou não dinheiro para comprar.

Cabe ao governo evitar que suas ações o mantenham em bom funcionamento, mas não causem danos, nem para o ambiente nem para as famílias. Em outras palavras, a função do governo é preservar o ambiente onde ocorrem as transações comerciais; propiciar um lugar seguro tanto para quem vende quanto para quem compra; fazer com que os empresários ofereçam produtos com valores acessíveis, de boa qualidade e com rapidez.

É como os guerreiros do passado que, quando chegavam em um território inimigo, buscavam informações sobre as normas locais para, depois, guerrearem ou tomarem o poder. Uma empresa deve fazer o mesmo ao chegar ao mercado: informar-se sobre as leis que regem aquela categoria para entender sua cadeia de negócios.

Não é à toa que o líder deve ter a mente ampliada a fim de gerir tantas variáveis e comandar uma empresa feita para prosperar.

## EVOLUÇÃO PREÇO/CUSTO/LUCRO

Em um cenário que evolui de geração a geração, precisamos entender mais do mercado e seu funcionamento. Um exemplo interessante é o que aconteceu com o trinômio preço–custo–lucro. Exemplo clássico de evolução das empresas.

Como era feita a composição do preço no passado?

Preço = Custo da mercadoria/Produção (fixo ou variável) + Lucro

O resultado era o preço que ofertávamos para colocar o produto ou serviço no mercado.

Com a abertura do mercado mundial, percebemos que o preço já era preestabelecido em uma concorrência mundial: então as empresas, em vez de isolar o preço, começaram a isolar o lucro.

Preço (ditado pelo mercado) – Custo = Lucro

As empresas começaram a ter sua lucratividade impactada. Ou seja, a margem de lucro foi diminuindo.

Com as empresas crescendo e indo para um capital aberto, ou com investidores terceirizados, estes começaram a não querer mais abrir mão do lucro, então o empresário tinha um preço ditado pelo mercado e um lucro ditado pelo investidor. Com isso, precisou gerir o custo.

Preço (dito pelo mercado) – Custo (o mais baixo possível) = Lucro (exigido pelo investidor/proprietário)

Hoje fala-se muito em engenharia de custo – tenta-se, de todas as formas, reduzir custos (para aumentar a lucratividade). É o que fizeram empresas como Uber e Airbnb, que excluíram atravessadores.

A tecnologia e a inovação vieram com este objetivo: todo o serviço braçal que puder ser operacionalizado por um *software* ou uma máquina, tende a ser substituído a fim de reduzir gastos e manter o padrão de produção.

Nesse contexto, as empresas perceberam o centro de custos "pessoais" como altamente relevante para que a organização se mantenha no mercado. Existem pessoas que são mais produtivas do que outras. Existem empresas que dão melhores condições para que as pessoas produzam, e isso é um diferencial competitivo, pois a empresa fará mais com menos.

O mesmo serve para os colaboradores. Se um funcionário é alguém que trabalha com alta performance, que produz mais do que ganha, se promete e entrega, o mercado irá absorvê-lo. Agora, se ele é um profissional que não atende às expectativas, até poderá ser contratado por um bom currículo, mas será demitido por não atender às demandas exigidas.

Em geral, as empresas contratam por currículo e demitem por comportamento, pela incapacidade de traduzir o conhecimento em atitude e habilidade. Saber se comportar, conhecer o mercado, é fundamental, é a base, o alicerce. É o sul.

Ao mesmo tempo, é determinante que ele olhe para si e avalie seus valores. Por exemplo, um vegetariano não trabalharia em um abatedouro por não ter valores compatíveis; há pessoas que são extremamente honestas e que não conseguem se destacar em um meio onde o "jeitinho brasileiro" impera. Então o olhar introspectivo é fundamental para que o empresário, o gestor ou o líder, saiba se está trilhando o caminho certo, em que acredita.

## NORTE – TENHA VISÃO

Quando temos um norte, que é um desejo interno, ardente, e uma visão compartilhada dentro da empresa, já andamos um bom caminho para construir a cultura organizacional.

Todo profissional bem-sucedido tem um norte, um objetivo. A filosofia de Napoleon Hill baseia-se na ideia de que tudo nasce de um desejo ardente, de uma visão inabalável. Saber para onde se vai na vida, onde se quer chegar, é mais importante do que ter velocidade – ter velocidade na direção errada é um grave erro; você acaba colocando energia, investindo recursos muitas vezes escassos em algo que não merece, para chegar a um lugar que não é o que você quer. É melhor estar parado, olhando na direção certa, do que estar em movimento na direção errada. Lembre-se: quem não sabe para onde vai corre o risco de não compreender o que encontra.

Três pontos para prosperar como indivíduo em busca de um norte:

1. Tenha o objetivo principal bem definido em mente.
2. Registre-o, escreva-o, guarde-o de alguma maneira.
3. Coloque-o em lugares visíveis, onde você possa enxergá-lo pelo menos duas vezes ao dia.

## VISÃO É GARANTIA DE FUTURO

No filme *Alice no país das maravilhas* são apresentados trechos filosóficos muito profundos. Uma das cenas ilustra bem o poder da visão: é quando Alice está perdida e pede ajuda para o Gato Risonho (também conhecido como Gato de Cheshire).

Tímida, ela pergunta ao sorridente gato: "Gatinho de Cheshire, poderia me dizer, por favor, que caminho devo tomar para sair daqui?".

O Gato responde: "Isso depende bastante de aonde você quer chegar".

Alice continua: "O lugar não importa muito...".

"Então, não importa o caminho que você vai tomar", responde o bichano.

Há uma lenda grega que conta a história de um jovem que queria conhecer o monte Olimpo. Desse modo, decidiu realizar uma jornada até a montanha.

Sentado à beira da estrada e da poeira, um velho homem olhava a vida passar com o olhar carregado de conhecimento.

O jovem perguntou:

"Meu bom senhor, em que direção fica o monte Olimpo?"

O velho apontou a direção certa e respondeu: "Vá nessa direção que chegará lá".

Ansioso e sem muita paciência, como todo jovem, o viajante perguntou se o caminho era demorado.

"Você quer realmente chegar ao monte Olimpo?", desafiou o velho.

"Sim", respondeu o jovem, indignado com a pergunta.

"Então certifique-se de que cada passo que você der seja em direção a ele. Um dia você chegará."

Esse é o poder da visão. Para que se tenha uma atitude forte, proativa, na vida, é fundamental que se tenha visão, objetivos coerentes e bem definidos – grande objetivo (macro) dividido em pequenos (micro).

Sem essas definições, a pessoa fica à deriva e acaba reagindo momento a momento, por instinto, buscando o prazer imediato e evitando dificuldades. Assim são os animais, que não têm noção do futuro e, por isso, suas reações são imediatas. O ser humano, ao contrário, tem a capacidade de imaginar os futuros possíveis para si mesmo.

O ser humano é impactado pelo que coloca em seu futuro. E a expectativa de futuro gera fato no presente, resultando na realização de suas metas. Essa consciência permite ao líder avaliar todas as situações, as consequências de seus atos, com perspectiva e horizonte muito maior.

Claro que a construção da visão deve obedecer a muitos critérios – entre eles as várias dimensões da vida. Com o comportamento organizacional de um metagerenciador, ele precisa avaliar isso dentro do contexto e propósito da empresa para que possa definir o melhor caminho. Isso fará com que sua visão tenha coerência, consistência. É a experiência de escalar a montanha – para escalar, primeiro você deve conhecer o potencial que tem de chegar ao topo. Não é qualquer um que consegue escalar uma montanha gigante sem capacitação adequada.

Para alcançar esse objetivo (escalar a montanha) você precisa de um mapa – e isso sua visão pode dar em sua trajetória dentro da organização. O mapa irá apontar as melhores alternativas e caminhos. É importante que você tenha o mapa desenhado, em um papel, para que você consiga enxergá-lo por inteiro.

Por essa razão, o modelo de planejamento do Canvas, que é uma ferramenta que permite a visualização de todas as estratégias do negócio em apenas um quadro, voltou a ser tão requisitado – Canvas, a propósito, quer dizer tela.

Todas as obras do ser humano foram criadas duas vezes: primeiro na mente do criador, depois no mundo material. Antes de tudo existir, existiu primeiro na consciência de quem os desenhou, de quem os imaginou. Este livro, antes de ser escrito, existia em nossa mente. Projetos e planos nascem de possibilidades. Portanto, sem visão não há realidade.

Jack Welch, executivo da General Eletric, dizia: "Tome o controle de seu futuro mediante o desenvolvimento de sua visão".

Estabelecer uma visão faz do líder uma pessoa muito mais criativa, poderosa, faz com que seu comprometimento e sua energia sejam outros. A pessoa ancora a esperança no futuro, não o medo. Lembre-se: se o que você deseja não está desenhado, projetado, esse pensamento é apenas um sonho. O sonho é a matéria-prima da visão, e a visão, por sua vez, é o sonho esquadrinhado dentro de uma linha do tempo, geográfica, com personagens, forma, finalidade.

Para tomar conta desse transatlântico gigantesco que é a vida, que é sua empresa, é necessário:

1. Planejar a viagem dentro de um contexto (que é o mercado, o oceano).
2. Ter comando (o leme).
3. Manter o controle (acompanhar a bússola).

Transforme isso em uma linguagem proativa, crie um conjunto de hábitos que o ajude a materializar o sonho e trazê-lo para o mundo real. É importante traçar o plano, porque não basta chegar lá. E se precisar voltar, ou recuar um ou dois passos?

Diz-se que Neil Armstrong, o primeiro homem a pisar na Lua, conquistou o direito após fazer uma pergunta inquietante: "Ok, quando chegarmos à Lua, como faremos para voltar?".

O que isso significa? Há que ser audacioso, mas é necessário também ter critérios que controlem sua audácia. A audácia tem magia e genialidade, mas precisa de elementos que a sustentem. A visão dá isso ao ser humano.

Parece repetitivo afirmar isso, mas pense que é de seu futuro que estamos falando: empresa sem visão é empresa que não tem futuro, não tem propósito nem objetivo. É uma empresa que se deixa levar pelo mercado. O líder que não tem visão não tem controle de sua vida e passa a viver com valores, ideias e propósitos dos outros, como se estivesse sendo arrastado na multidão.

Se puder definir essa visão em poucas palavras será ainda mais fácil de memorizar; crie, dentro de sua missão, um projeto com metas, objetivos e planejamento.

## NEOTRIBOS

Existem indícios de que viveremos, cada vez mais intensamente, dentro do conceito das neotribos. Mas o que é esse conceito?

Há milhares de anos, as pessoas conviviam em tribos e a força das alianças estavam no vínculo sanguíneo. Mais tarde, com as tribos coexistindo em um mesmo local, fez-se necessária a constituição de governos e leis.

Com o tempo as leis de mercado começaram a vigorar, utilizando, como força de aliança, os lucros. Por isso, hoje um produto produzido aqui no Brasil pode ir para qualquer lugar do planeta, dependendo dos hábitos de consumo locais, das leis locais e dos lucros gerados na transação.

Nos últimos anos, o tripé lucros–pessoas–meio ambiente vem ganhando cada vez mais força. O livro *Líder com mente de mestre* já abordou a administração dos 3P›s (*peoples* – pessoas; *planet* – planeta; e *profits* – lucros). Atualmente, fala-se no selo ESG, *environmental* (meio ambiente), *social* (sociedade), *governance* (governança) como exemplo e ecossistema empresarial. Ou seja, para sua empresa receber esse selo, deverá respeitar esses critérios.

Ainda sobre o conceito das neotribos, não se surpreenda se, em um futuro próximo, você que é jipeiro, trilheiro, cavaleiro ou paraquedista, estiver morando em um condomínio horizontal onde todos os moradores terão o mesmo gosto, onde todos terão hábitos semelhantes – onde o barulho da sua motocicleta não incomodará o vizinho que também terá uma.

## UM MAPA PARA O SEU PLANEJAMENTO

Tudo isso pode ser transformado em um passo a passo que você deve preencher ao montar seu projeto de futuro:

1. Defina o que irá planejar. Existem várias áreas da sua empresa e da sua vida que podem ser pensadas estrategicamente. Você precisa definir quais.
2. Defina como deveria ser. Sonhe. Permita-se ousar.
3. Saiba como é, como está, o que você ou sua empresa têm hoje.
4. Defina isso em objetivos de curto, médio e longo prazos.
5. Estabeleça um cronograma de tempo bem definido. Quando, onde, como vou executar cada passo.
6. Faça uma estimativa dos recursos que serão necessários. Defina de onde virão os recursos financeiros para cumprir essa meta.
7. Planeje quais são os indicadores-chave de desempenho que irá medir e como irá fazer isso. Abra mão da perfeição. É melhor o feito do que o perfeito. Entre o sonho e o possível, faça o possível.
8. Tenha um bom líder de projeto, alguém que gerencie, acompanhe. O melhor projeto do mundo não fica de pé sem um líder, sem um *business sponsor*.

## COMO FAZER EMPRESAS DURADOURAS?

Durante vinte anos, Napoleon Hill pesquisou o que as pessoas que triunfavam na vida tinham em comum. Depois, passou outros quarenta anos validando os resultados de sua pesquisa.

Os resultados obtidos mudaram o mundo dos negócios e continuam sendo desenvolvidos até hoje. Nós, do MasterMind®, somos continuadores de sua filosofia e dessa pesquisa, porque cada participante de nossos treinamentos que vai à frente da sala, fica em pé e fala sobre seus temas, seus conhecimentos e exemplos de liderança, valida o tema.

Hill pesquisou o que chamava de *typhoon* (tufão, em inglês): pessoas que têm uma espécie de energia vital e que são capazes de mexer com todo o seu entorno, seu ambiente, sua estrutura, fazendo tudo acontecer.

Décadas depois de Napoleon Hill apresentar os resultados de seu trabalho, o pesquisador Jim Collins passou a trabalhar em um tema semelhante. Ele queria saber por que algumas empresas, mesmo tendo líderes fortes e enérgicos, não se sustentavam no longo prazo. Como alvo de sua pesquisa elegeu somente empresas com mais de cem anos de existência.

Ele percebeu que todas tinham algo em comum: uma filosofia, uma cultura organizacional. Elas sobreviveram não por causa de seus líderes, mas pela visão que seus líderes criaram. Ou seja: depois que a visão da empresa está consolidada, até os líderes podem falhar – mas a empresa continua no caminho proposto. É, como já citamos, o paradoxo filosófico do pássaro: as asas carregam o pássaro que carrega as asas. Ou seja, o líder constrói a cultura, e a cultura constrói e carrega o líder.

## OESTE – TENHA CONTROLE/INDICADORES

O oeste, representado pela mão esquerda, é o controle, os números, indicadores. Lembre-se da frase de Peter Drucker, especialista em desenvolvimento de liderança: "O que não é medido não é gerenciado, e o que não é gerenciado não é melhorado".

Um rabino tinha uma barba muito grande. Certa vez um amigo o questionou sobre onde ele posicionava a barba enquanto dormia, se era por dentro ou por fora das cobertas. O rabino respondeu que nunca havia notado a posição da sua barba. Ele apenas dormia.

Dias depois, os amigos se encontraram e o rabino comentou que, desde o dia daquele questionamento, a barba incomodava o seu sono. Ou seja, a barba sempre esteve ali. Bastou o amigo perguntar para que o rabino a notasse. Com os indicadores pode acontecer algo semelhante. O indicador está ali, porém nunca nos conscientizamos dele. Ao percebermos, podemos, depois, tomar a melhor decisão sobre o que fazer com ele – inclusive descartá-lo.

Absolutamente tudo que parece ser intangível pode se tornar tangível, basta que tenhamos a criatividade necessária. Podemos, em uma equipe de funcionários, criar *rankings* diversos – produtividade, pontualidade, funcionário mais ou menos comprometido, mais gentil, que mais ama a empresa. Uma coisa é gerar o indicador, outra é utilizá-lo. Mas, para qualquer tema, basta ter a criatividade para montar o indicador.

Nem sempre esse indicador deverá se perpetuar dentro da empresa, ele pode ser utilizado em momentos pontuais. Mas alguns são importantes no meio empresarial para avaliações profundas do que ocorre na empresa ou em determinado setor. Construir o histórico, o rastro de alguns indicadores, permite que façamos comparações entre os períodos anteriores e os atuais, revelando a curva de performance, além de pressionar as pessoas na busca constante de melhoria. É importante, entretanto, deixar claro que pressão é diferente de tensão. A pressão nos impulsiona, a tensão nos paralisa. A pressão nos coloca em estado de alta performance, a tensão nos emburrece. A pressão nos coloca em estado de alerta, a tensão nos adoece. Para pressionar, é importante termos bons indicadores. Você pode medir pontos importantes como:

- lucros;
- receita bruta;
- receita líquida;
- custos;
- gastos;
- despesas;
- investimentos;
- produtividade;
- qualidade;
- quantidade;
- tempo;
- pesquisa de clima e satisfação;
- indicador de crescimento;
- qualidade no ambiente de trabalho.

## LESTE – COMANDE!

O braço direito é o braço forte de cerca de 90% das pessoas do planeta. É o braço do comando, que é a capacidade que o gestor tem de conduzir as pessoas por meio dos indicadores, fazendo com que elas melhorem sua performance.

Qual é o papel do líder? É montar o melhor time.

Se a pessoa consegue desenvolver características de liderança, ela conseguirá formar uma boa equipe e vencer as adversidades. O bom líder comanda com habilidade, sabe conduzir as pessoas sem magoá-las;

consegue pegar um indicador, traçar metas individuais e coletivas, além de melhorar aqueles índices que estavam na mão esquerda, no oeste. É por isso que não basta apenas ter indicadores; depende muito do comandante, do líder, buscar a implementação do que se espera. Nos momentos difíceis, o líder decide. Sabe o que faz, pois domina o sul e o norte, domina a bússola e conduz as pessoas para a direção desejada.

Você já deve ter percebido que uma criança, quando sofre uma queda, normalmente olha para seus pais antes de expressar uma reação. Caso os encontre assustados, com as mãos na cabeça, impressionados com a queda, ela automaticamente conclui que a situação foi grave e abre aquele berreiro em igual ou maior proporção. Em compensação, se o seu olhar encontra pais calmos, encorajadores, dizendo que não foi nada e que a criança pode voltar a brincar, ela se levanta e segue brincando (é lógico que isso não ocorre em situações mais graves).

Esse mesmo comportamento se repete na vida adulta. Buscamos referências para expressar nossas reações. Aí que entra o papel do comandante.

No fim do século 15, por volta de 1498, o navegador Vasco da Gama proporcionou um grande feito para a época ao conduzir embarcações que haviam partido da Europa a fim de contornar o cabo das Tormentas, ou cabo da Boa Esperança, com o objetivo de chegar à Índia.

Distribuídas em quatro embarcações, cerca de 170 pessoas atravessaram, em mar aberto, pelo ponto mais extremo ao sul do continente africano.

Naquele ponto enfrentaram uma grande tempestade que deixou os marujos amedrontados e em situação de desespero. Na hora mais desafiadora, em meio à tempestade, quando todos olhavam para o comandante, Vasco da Gama gritou: “Marujos, vejam!!! O mar treme quando passamos”.

Aquele teria sido o momento crucial em que o comando de Vasco da Gama fez toda a diferença para o sucesso daquela navegação.

Essa passagem representa a importância da sabedoria e da consciência do líder nos momentos difíceis. Enquanto outros poderiam demonstrar medo, o líder demonstrou coragem, encorajando todos aqueles que o observavam, impulsionando os marujos a alcançar seu objetivo.

## SUDESTE – INTEGRIDADE

A Fundação Napoleon Hill mostra que entre as coisas que as pessoas mais observam em um líder estão sua integridade, sua coerência, sua forma de gerar credibilidade. Existem pessoas que demonstram sua integridade apenas em situações em que é conveniente – mas diante de um pequeno vacilo a pessoa se perde. Isso pode ocorrer quando há subordinação. A pessoa é íntegra, mas seu superior não é. Esse motivo, que é situacional, pode corromper o ser humano.

Não se pode permitir que a integridade seja menor ou maior conforme a ascendência do líder, do patrão. A integridade deve se sobrepor à autoridade. Isso se chama integridade não situacional: ser íntegro independentemente da situação.

Esse entendimento partiu da premissa de que um líder eficaz deve ter integridade, comunicação, visão, atenção, saber tomar decisões, ter coragem, dedicação, ter modelo mental proativo, ser motivado e conhecer o assunto.

Se pensarmos bem, os negócios são o maior esporte de equipe do mundo. Nas empresas não existe o "eu", existe o "nós" – essa é a mentalidade que deve dominar a organização e o líder que quer crescer. O líder deve ser íntegro e pensar em todos, não deve abrir a boca de forma leviana. Precisa identificar e entender o que é o ciclo de eficiência – planejar, executar, monitorar, avaliar.

Existe uma regra básica para quem quer consolidar sua integridade por meio de ações que, por sua vez, divide-se em três:

1. Diga o que vai fazer.
2. Faça o que falou.
3. Explique o que fez.

## NORDESTE – LINGUAGEM

Nós somos seres linguísticos, e a linguagem é algo que deve permear toda a empresa. A linguagem do líder define muito como as coisas andarão, como vão acontecer. Por isso, é necessário que tenha uma linguagem proativa, voltada para a busca por resultados de alto desempenho e baseada no futuro. É ela que definirá o ritmo, a postura e o tamanho da organização.

Certa vez, Thomas Alva Edison, inventor da lâmpada elétrica e de diversas outras descobertas que mudaram o mundo, chegou a casa e entregou um bilhete à mãe, dizendo: "Minha professora me deu este bilhete e me mandou entregá-lo a você". Enquanto ela lia em voz alta, seus olhos encheram-se de lágrimas: "Seu filho é um gênio. Esta escola é muito pequena para ele e não temos bons professores para ensiná-lo, por favor, ensine-o". E a mãe o ensinou.

Os anos se passaram e a mãe de Edison faleceu.

Um dia, ao olhar lembranças da família, viu um papel dobrado na moldura de um desenho sobre a mesa.

Ele o pegou e abriu. Era o bilhete enviado pela professora há muitos anos. No papel estava escrito: "Seu filho tem uma doença mental e não podemos deixá-lo voltar para a escola".

Edison chorou durante horas e depois escreveu em seu diário: "Thomas Alva Edison era um menino com uma doença mental, mas graças a uma mãe heroica ele se tornou o gênio do século".

A reação da mamãe foi incrível, não foi? Em vez de ler o que realmente dizia a carta, o que teria feito seu filho se sentir inferior, ela virou completamente o jogo e injetou no filho confiança e segurança. Fez ele acreditar que era um gênio. O impacto foi tamanho que ele tornou-se um.

É incrível o poder que a linguagem exerce sobre nós. É incrível o poder das palavras.

Um líder só é grande quando conquista a vitória interna de criar uma linguagem adequada a seus objetivos e de fazer com que o objetivo o energize. Isso deve materializar-se em sua visão, o autoconhecimento fará com que ele se fortaleça.

Por que é importante ter a decisão interna antes da externa? Porque, se a primeira não ocorre, a segunda não se sustenta em longo prazo. Conhecedores do mercado, vemos muito isto: a empresa tem sucesso externo, mas tem grandes problemas internos.

Sempre falamos que existem dois tipos de linguagem, a proativa e a reativa. A segunda é usada por pessoas que ficam pequenas a vida toda e costumam falar: "Eu não consigo", "A culpa não é minha", "Não temos opção", "Eles não vão fazer", "Estamos de mãos atadas". Já a linguagem proativa é voltada ao alto desempenho, à liderança: "Eu consigo", "A escolha é minha", "Vamos buscar soluções", "Deixa comigo".

O processo de linguagem deve ser construído pelo líder, que trabalhará uma cultura proativa e não de reclamações. Quando a empresa, ou o seu comandante, mantêm crenças limitantes, a tendência é que se reclame de tudo e de todos. E isso tem um grande custo, uma vez que, reclamando permanentemente, a pessoa começa a se autoenganar e a disfarçar sua incompetência por ter medo de ser julgada ou criticada.

O bom líder deve criar um ambiente proativo que seja o caminho do ganha-ganha, em que todos comecem a entender a regra de ouro da empresa. A organização, como já dissemos, é a mente de seu comandante – suas crenças fortalecedoras, suas crenças limitantes. O líder é do tamanho de seus objetivos.

Ele precisa fazer dessa linguagem uma cultura, criando rodas de conversa com a empresa, preparando todos para os resultados que virão.

As rodas de conversa devem ter linguagem intensa, agradável, de esperança, solucionadora, voltada à resolução de conflitos e à reflexão. A equipe deve olhar para seu líder como alguém orientado para o resultado, que sabe resolver problemas, que tem metas definidas, capacidade de ser comedido e sereno em momentos de tensão.

## NOROESTE – CULTURA

A cultura é maior do que a economia. Ao longo de todo o livro, reafirmamos esse entendimento e exploramos o tema. Cultura é o conjunto de hábitos, rotinas e protocolos de uma instituição. Manter a cultura sempre atual é o grande desafio; afinal, bons hábitos são difíceis de adquirir e fáceis de conviver. Maus hábitos são fáceis de adquirir e difíceis de conviver.

***Bons hábitos são difíceis de adquirir e fáceis de conviver. Maus hábitos são fáceis de adquirir e difíceis de conviver.***

O mercado está em constante movimento, exigindo que as empresas mantenham-se sempre em alerta. Há as que conseguem manter-se em constante crescimento, mas para isso mantêm-se compreendendo e antecipando tendências.

Atualmente, observamos um novo modelo chamado neotribos, no qual os lucros e as leis importam, mas a moeda "cooperação" é amplamente valorizada. Se tivermos um foco de negócio, perceberemos com clareza essa tendência.

A compreensão sobre as neotribos pode ser facilitada ao estudarmos os movimentos da Matriz de Ansoff. Ela contempla os vetores "produto e mercado", sendo eles novos e existentes.

Essa janela resulta em quatro grandes estratégias de atuação no mercado:

- A primeira delas contempla o produto existente em mercado existente, exigindo que a empresa foque a penetração de mercado, aumentando presença e *market share* (participação no mercado).
- A segunda contempla produtos novos em mercado existente. Essa estratégia prevê novos lançamentos de produtos que podem ser oferecidos aos clientes que já compram nossas soluções. As ações contemplam o desenvolvimento de produtos.
- A terceira janela é formada por produto antigo em um novo mercado, fazendo com que esse chegue a lugares ainda não explorados. As ações contemplam o desenvolvimento de mercado.
- A quarta janela contempla produtos novos em novos mercados. É quando a empresa sente a necessidade de ações de diversificação de suas estratégias.

Compreender os movimentos de mercado permite que a empresa ajuste sua estratégia para adaptar sua cultura, mantendo sempre a alta performance.

Um bom exemplo ocorre com uma fábrica de bebidas do Rio Grande do Sul. O único estado brasileiro cujo guaraná mais vendido não é o Guaraná Antártica é o Rio Grande do Sul. Quem domina o mercado é a Bebidas Fruki. Depois de ter dominado o mercado de refrigerante sabor guaraná, a estratégia foi, anos atrás, ampliar a linha de produtos.

Hoje, a empresa dispõe de toda a linha de refrigerantes, água mineral, sucos, energético e cerveja. Alguns desses produtos são líderes de mercado – a água mineral, por exemplo.

Atualmente suas ações no Rio Grande do Sul são voltadas para aumentar a venda dos outros produtos da linha. Porém, há alguns anos, a empresa começou um movimento de expansão de mercado e entrou em Santa Catarina. Para isso, usou outra estratégia: no estado vizinho as ações buscaram levar produtos já consolidados no Rio Grande do Sul para que o outro mercado os conhecesse.

Em resumo, compreender o mercado é fundamental para o ajuste da cultura organizacional.

## SUDOESTE – APRENDIZAGEM CONTÍNUA

Nunca paramos de aprender sobre negócios. As empresas são amplas demais, multifacetadas, tecnológica e humanamente dependentes, locais e globais demais, para que a gente um dia possa dizer "já estou careca de saber disso". É preciso entender que a vida é um eterno aprendizado. Seja em organizações grandes ou pequenas, em economias velhas ou novas, o processo deve ser sempre voltado à aprendizagem.

Estamos vivendo uma quarta revolução industrial. Isso significa que há toda uma nova geração surgindo e atuando no mercado – nós, Jamil e Gustavo, somos da era analógica, portanto, imigrantes digitais. Há os que nasceram mais tarde, já na era da tecnologia. E, agora, temos ainda a geração mais nova, que chega pronta para envolver-se ainda mais neste mundo novo e futurista. E é por essa razão que a aprendizagem contínua é e será um dos fatores mais valorizados nos profissionais nas próximas décadas, razão pela qual o processo de aprendizagem deve ser contínuo.

Napoleon Hill escreveu um livro intitulado *Quem aprende enriquece.*Ou seja, o processo é aprender sempre. A única certeza que temos é de que o mundo muda e a vida repousa nas mudanças.

Um exemplo memorável que revela a importância da aprendizagem ocorreu no início do século 16, quando o artista Michelangelo, um dos mais renomados do mundo, foi contratado pelo Papa Júlio II para a construção de seu mausoléu. Após se aconselhar com algumas pessoas, entretanto, o Papa resolveu declinar do acordo, pois o artista tinha algumas ideias contrárias às da Igreja da época.

Aquela rescisão provocou a ira de Michelangelo, uma vez que ele já havia começado o trabalho. Para evitar ainda mais constrangimento, o Papa resolveu dar a ele outro desafio com o objetivo de que o artista não o aceitasse. O trabalho exigia habilidades de pintura, arte que Michelangelo não dominava por completo.

A proposta deixou o artista dividido entre desapontar a Igreja ou expor sua reputação. Mas aceitou o desafio. Michelangelo dedicou-se muito, conversou com especialistas no assunto, leu e estudou a arte dos pincéis e da tinta até começar a pintar a pequena capela que lhe havia sido designada.

Quatro anos depois, Michelangelo terminou aquela que seria uma de suas principais obras de arte, considerada, até hoje, o teto mais famoso do mundo: o teto da Capela Sistina.

Michelangelo tinha todos os motivos para desistir daquela árdua tarefa, mas fez o seu melhor. Dedicou-se para aprender e dominar a arte da pintura.

A aprendizagem contínua é uma espécie de treinamento mental. Certa vez, perguntaram a um treinador de futebol se o jogo tinha sido fácil. E ele respondeu: "O jogo foi fácil. Difícil foi o treino!". Portanto, se você fizer primeiro as coisas fáceis, sua vida será difícil; se fizer primeiro as coisas difíceis, sua vida será fácil.

Dentro de todo processo de aprendizagem surge a inovação, que pode ser dividida em três tipos:

- Inovação de manutenção: movimento da marca. Às vezes, é necessário mexer em várias coisas dentro de nosso negócio para mantê-lo.
- Inovação da oferta inusitada: movimento de produto. É o modelo da escassez: "Compre agora!".
- Inovação estrutural: de gestação mais longa, requer uma atitude empreendedora. Normalmente, parte de uma necessidade – a mãe da inovação é a necessidade.

Quando falamos de inovação devemos falar primeiro em observar, entender e fazer. É necessário ter a concepção da ideia, modelar o protótipo, fazê-lo atingir o racional para daí ser executado e o mercado o absorver. Essa atitude empreendedora faz com que o líder esteja em constante aprendizagem. Por isso, Napoleon Hill dizia: "Se você pode imaginar, você pode realizar". É necessário estar aberto para o novo com competência, responsabilidade, e manter-se preparando a mente para esse comportamento de aprendizagem contínua e de aprendizado.

O problema da cultura no Brasil é que se parte de um estereótipo de que a inovação é um privilégio de gênios, mentes brilhantes, que se isolam em seus laboratórios e saem de lá com ideias incríveis. Mas inovação é um processo em que você enxerga o que quer, reúne os fatos que tem, as dificuldades existentes, e cria uma chuva de ideias; assim, definem-se soluções para depois materializar o processo todo. Não adianta pensar apenas em inovações disruptivas, que vão romper tudo o que já existe, isso requer muito investimento e muito tempo. É necessário ter propósito, o propósito sustenta tudo isso.

Inovação requer que você acione e leve sua mente para o futuro, busque arquivos no passado e materialize o sentimento no presente. Requer levar o pensamento até essa região intangível que é o futuro, que não existe: "O futuro é o presente em movimento". No momento em que pisamos no futuro, chegamos no presente. E o que é o presente, senão a materialização de um sentimento? O tempo é tríplice: nele, dentro de sua mente, você vive simultaneamente o passado, o presente e o futuro.

Dessa forma, reforçamos sempre que é o comportamento do líder que definirá muito do que será a empresa. Assim como o consumidor toma decisões com base em comportamento e emoções – o que afeta a economia –, as ações do líder, do gestor ou empresário afetam o seu entorno e sua organização. É o que se chama "economia comportamental".

***Inovação requer que você acione e leve sua mente para o futuro.***

Então, analise: o que é pensar de forma lógica seu comportamento senão a rosa dos ventos? É saber o que se tem a fazer, é o plano de voo. E é melhor ter um plano malfeito do que não ter plano nenhum. O camponês, por exemplo, não semeia hoje para colher amanhã, ele sabe que há um ciclo a ser cumprido.

Até mesmo a inovação deve ser planejada. O problema do planejamento é que ele não traz gratificação imediata: não se sente imediatamente o resultado. Mas nós regamos o jardim, porque acreditamos nas flores que nascerão.

CAPÍTULO 6

# Juntos, nós podemos – considerações finais

Muito bem. Chegamos juntos até aqui. A caminhada foi importante, reveladora. Foi a caminhada de uma vida, seja você jovem ou não.

Ao longo deste livro, aprendemos a detectar os problemas, a encontrar as possíveis soluções, conhecemos a rosa dos ventos – ferramenta fundamental para alcançar o resultado da equação de sua vida ou de sua empresa – e, agora, chegou a hora de partir rumo ao sucesso.

Nesta caminhada, concluímos que a construção de uma cultura organizacional de alta performance deve ser feita por meio das melhores práticas, com as pessoas cumprindo os melhores processos.

O MasterMind® é uma escola de formação de líderes empreendedores socialmente responsáveis. Nosso foco é o desenvolvimento humano. Não se constrói uma empresa nota dez com pessoas nota cinco, da mesma forma que não se constrói uma nação de alto nível com pessoas medianas.

Nesse contexto percebemos, cada dia com mais força, que o setor de gestão de pessoas ganha valorização nas organizações, O setor de Recursos Humanos está cada vez mais próximo da sala do diretor. O antigo departamento de pessoal passa por uma revolução e dá espaço para executivos que consigam promover o melhor para as pessoas.

Existem sete pontos nesse âmbito que o empresário – o líder – precisa desenvolver dentro da sua organização para que seja possível atingir o melhor desempenho por meio das pessoas. São sete degraus importantes para um caminho que proporcione às pessoas conseguir se desenvolver, cumprir e viver a melhor cultura organizacional.

1. Crie um organograma e um descritivo de cargos da empresa. O organograma é o mapa hierárquico da organização. O descritivo de cargo deve contemplar ao menos cinco perguntas que todas as pessoas envolvidas no processo precisam saber:
    a) qual é o problema que a função resolve;
    b) quais são as tarefas que devem ser executadas;
    c) quais são as metas para cada tarefa (qualitativas/quantitativas);
    d) quais são as competências técnicas necessárias;
    e) quais são as competências comportamentais necessárias.
2. Construa um processo de recrutamento e seleção constante. A seleção deve ser permanente para que se crie, na empresa, inquietação. Reforçamos: quem não se incomoda se acomoda. Pessoas acomodadas dentro de uma organização não auxiliam o suficiente, por isso é melhor fazer com que fiquem inquietas e assim busquem a melhoria contínua e a melhoria de seu setor ou empresa. Além disso, é bom ter um programa de seleção permanente para, eventualmente, captar alguém supertalentoso que esteja no mercado e possa contribuir com sua organização. O recrutamento serve para manter o mercado avisado sobre essa permanente busca por profissionais qualificados; a seleção, por sua vez, busca as melhores pessoas que estão no mercado naquele momento. Em analogia, o recrutamento é nossa empresa

atirando a rede no mar e puxando-a com os peixes presos nela; a seleção é nossa empresa com a rede cheia, escolhendo o peixe que irá ficar e o que será devolvido para a água. Jack Welch, notável executivo da General Eletric, afirma que as empresas devem ter uma lista contendo 10% das pessoas que apresentam pior performance. O processo contínuo de recrutar e selecionar permitirá que estas sejam substituídas por pessoas melhores, gerando a melhoria contínua da cultura organizacional. Recomenda-se, também, que 20% do topo de performance devem ser reconhecidos e os 70% intermediários devem ser treinados.

3. Faça processos de integração, ou *onboarding*: este é o período de adaptação do profissional que veio para a empresa, o contrato de experiência para saber se o profissional vai se adaptar à função ou à organização. Esse processo tem três objetivos principais:
   a) aculturar, explicar e capacitar o profissional recém-chegado, fazendo com que ele conheça todos os passos de seu trabalho, ensinando-o a trabalhar;
   b) observar se o profissional está feliz, satisfeito e adaptado com aquilo que está fazendo;
   c) observar se a entrega daquele profissional satisfaz as exigências do cargo.

É o momento de a empresa ENSINAR o profissional a trabalhar, ver se ele está ADAPTADO e se a empresa está SATISFEITA com a contratação.

4. Crie uma agenda, um cronograma de treinamentos e de desenvolvimento de pessoas. Não há nada que esteja sendo feito que não possa ser melhorado. Todas as operações podem e devem ser treinadas e melhoradas, desde as mais simples – como atender o telefone – até a operação mais complexa. Todos os

funcionários devem estar sempre em qualificação. A repetição por si só não leva à excelência, mas a repetição com avaliação, sim. Essa medida deve ser permanente, não importa o nível hierárquico – ainda mais em um mercado que está em constante evolução e que evolui cada vez mais rápido. Um detalhe é fundamental para o bom andamento das capacitações: elas não podem ser intensas, frequentes e por longo período de tempo simultaneamente. Destes três aspectos (intensidade, frequência, tempo), recomenda-se utilizar dois.

5. Faça uma boa avaliação de desempenho, a produtividade de todos os profissionais que estão sendo remunerados para ocupar cargos dentro da empresa deve ser medida o tempo todo – de forma individual ou coletiva. Uma observação importante: não é obrigação do gestor, do líder, ir até os colaboradores e questionar o quanto cada um produziu até aquele momento. É adequado que o profissional contratado apresente, ao final de sua rotina de trabalho, o seu indicador de desempenho diário, seu indicador de performance, para seus superiores no nível hierárquico. Tem gente que acha que cumprir horário é estar trabalhando, e não é assim; os funcionários, dentro dessas horas para as quais foram contratados, precisam estar produzindo. A Avaliação 360 é uma ferramenta muito conhecida no mercado.
6. Monte um Plano de Carreira: faça com que o funcionário possa sonhar com sua trajetória dentro da organização. Permita que ele imagine-se no longo prazo: "Se eu cumprir tudo o que a empresa espera de mim, até onde posso chegar?". Mostrar esse caminho irá gerar uma expectativa de futuro. Guarde isso: o que retém as pessoas dentro de uma organização é a capacidade que elas têm de sonhar dentro dela. As pessoas gostam de se dedicar, de se esmerar na função quando sabem que a entrega

irá levar a algum lugar. Isso gera o intraempreendedorismo: as pessoas sentem-se confortáveis em empreender dentro da própria organização. Colaboradores da Disney são contratados por tarefas, por carreira ou por vocação. Encontrar o que cada um busca na organização aumenta a retenção.

7. Construa um protocolo demissional. Inevitavelmente, algumas pessoas ficarão pelo caminho. E quando essas pessoas tomarem a decisão de sair da empresa, ou se por algum motivo a empresa entender que aquele profissional não serve mais para a função, ou que não está mais apto a continuar produzindo, é fundamental ter bem elaborada a forma de desligamento. Nessa ocasião, a empresa pode descobrir pontos cegos e armadilhas na operação – e, nesses casos, em vez de acontecer um desligamento, pode-se gerar um aprendizado.

Neste momento, vale lembrar do relato de um profissional que estava deixando a empresa por entender que nas reuniões se falava uma coisa e, na prática, outra era feita. Na entrevista demissional, além disso, ainda observou que havia colaboradores que posavam de bons profissionais, mas que, quando o gestor virava as costas, tornavam-se membros de uma quadrilha montada dentro da própria organização – e que furtava produtos da empresa. Ao final da história, a empresa manteve o funcionário e desligou diversos profissionais envolvidos com os furtos.

Em seu livro *Quem aprende enriquece*, de 1941, Napoleon Hill traz pela primeira vez para os programas de desenvolvimento de liderança o conceito da roda da vida.

Ele relata um diálogo entre o sábio filósofo Creso, conselheiro confidencial de Ciro, o rei dos persas. Ciro governou a Pérsia entre 559 e 530 a.C. No passado, a Pérsia foi um dos maiores impérios da Terra.

Nesse diálogo, Creso diz a Ciro: "Sou obrigado, ó rei, a lembrá-lo de que existe uma roda na qual giram os assuntos dos homens e das mulheres, e que seu mecanismo é tal que impede que qualquer homem seja sempre afortunado, ou que seja sempre desafortunado, por uma questão de justiça divina. Assim, passa 50% da vida no alto e 50% no baixo. Essa roda da vida é que controla o destino dos homens e das mulheres, e opera por meio da mente humana, pelo poder do pensamento. Mas há um porém, as pessoas que dominarem sua própria mente, que conseguirem observar as várias dimensões dessa roda, podem desequilibrar o seu, fazendo com que deixe de ficar o mesmo tempo nos dois lados. É possível, com a mente, desequilibrá-la para que fique por muito mais tempo no alto ao longo de sua existência humana na Terra".

Portanto, essa é uma gentileza que a justa lei máxima da natureza concede para as mentes lúcidas.

Este livro entrega a você o leme da sua vida empresarial e pessoal. Se você quiser entender quais são os mecanismos que permitem que um homem ou uma mulher tenham o domínio das várias dimensões, das chaves de resultados, da roda da vida, o MasterMind® é o caminho. Estamos criando uma grande comunidade de homens e mulheres de mentes lúcidas, que dizem, em voz alta: "Eu sou MasterMind".

O nosso propósito, enquanto empresa, é criar um grande círculo de mentes-mestras em torno de objetivos de uma mente-mestra, de uma grande alma de construção da corrente do bem.

Éramos um, logo éramos mais de cem, hoje somos milhões. Unamse à nossa força e à nossa voz.

Estamos chegando ao final desta nossa viagem, uma experiência reveladora para você, empresário, e para nós, que tentamos, por meio destas páginas, ajudá-lo a fazer com que sua trajetória seja de êxito e que os percalços sejam superados com sabedoria e otimismo.

Nós conhecemos a fundo, e como poucos, o mercado brasileiro. E sabemos que o empreendedor, no Brasil, é um herói. É alguém capaz de lidar com todas as adversidades possíveis e que tem coragem para se lançar em busca de grandes sonhos e desafios para transformar sua própria vida – e assim seus resultados.

Há uma passagem memorável ocorrida em 490 a.C., quando o exército ateniense lutava contra os persas na Primeira Guerra Médica. Os persas, inimigos implacáveis, fizeram grave ameaça, afirmando que se vencessem a guerra marchariam até Atenas, invadiriam as casas dos soldados atenienses, violariam suas esposas e torturariam seus filhos até a morte.

Quando os soldados atenienses souberam da ameaça, decidiram lutar como nunca. Porém, antes, orientaram suas esposas para que tirassem, suavemente, a vida de seus filhos caso eles não retornassem em 24 horas após sua partida.

O exército de Atenas venceu bravamente os persas, mas a batalha estendeu-se por mais tempo do que o esperado. O horário limite aproximava-se perigosamente.

Foi então que o general do exército de Atenas pediu para que seu melhor soldado, Fidípides, corresse até Atenas para levar a mensagem da vitória. Fidípides correu dezenas de quilômetros entre a planície e a cidade de Atenas para levar a importante mensagem, sem se importar com as dores, o cansaço e a sede. Quando chegou diante de seu povo, estava tão exausto que conseguiu dizer apenas uma palavra antes de morrer: “Vencemos”.

Essa história aconteceu na planície de Marathónas, na Grécia, e inspirou a prova de atletismo mais longa das Olimpíadas modernas, que é a Maratona. O percurso foi de 42.195 metros, mesma distância da prova olímpica. E o bravo soldado Fidípides entregou sua vida para salvar uma geração. Se Fidípides falasse qualquer outra coisa, qualquer outra palavra, ele não teria cumprido sua missão. Fidípides teve força para dizer apenas uma palavra antes de cair morto, e a palavra foi "vencemos".

Perceba que, se ele fosse se queixar das dores, não entregaria a mensagem. Se fosse explicar algo a mais antes de entregar a mensagem, ele não teria salvo a geração vindoura. Por isso, contamos essa história ao final deste livro. Às vezes, vivemos por uma palavra, por uma causa.

Nós, Jamil e Gustavo, vivemos por uma causa: formar líderes empreendedores socialmente responsáveis. Nós acreditamos em você. Somos entusiastas do empreendedorismo. Acreditamos que somente por meio do empreendedorismo conseguiremos fazer uma nação forte.

Acreditamos em você, leitor, e nos seus resultados. Sabemos que você pode se tornar quem você deseja.

Acreditamos que este livro irá contribuir de forma significativa para que você alcance os resultados com mais rapidez.

Imagine que você chegou à sua segunda alfândega, momento da morte, e que alguém está escrevendo o seu epitáfio, um resumo sobre quem você foi, uma síntese sobre a sua vida. Essa pessoa diz que você conseguiu realizar tudo de bom que queria realizar e que será lembrado eternamente por isso.

Nós também queremos ser lembrados exatamente pelo que fizemos. Preparamos centenas de milhares de líderes empreendedores socialmente responsáveis e vamos preparar milhões, para que estes preparem outros milhões, a fim de que, juntos, possamos preparar o Brasil para ser o farol deste século. Esta é a nossa causa.

Ao longo deste livro, abordamos tópicos tanto do nível macro como do nível micro da economia. Falamos sobre as competências essenciais para a produção de uma cultura organizacional de alta performance e depositamos em suas mãos a capacidade de executar, colocar em prática a teoria compilada neste material que você tem em mãos.

Acreditamos nas suas decisões e nas pessoas que trabalham com você, ao seu redor. Queremos que você consiga realizar sua parte neste sonho, para que daqui a cinco, dez ou quinze anos pare, olhe para trás e sinta orgulho do que construiu.

Acreditamos que você pode salvar uma geração.

Acreditamos que você pode compreender com melhor clareza o mercado em que está inserido e, assim, ter uma visão otimista e um sonho gigante. Sabemos que, nos últimos dias da nossa trajetória, quem será aplaudido serão os que sonharam grande e trabalharam para isso. Diante disso, sonhe grande. Dissemine de forma otimista sua visão de longo prazo para as pessoas que o cercam, a fim de que elas entendam, gostem e possam sonhar junto – porque um grupo de pessoas organizadas, determinadas, comprometidas e com pensamento positivo é um grupo que fará a diferença.

Utilize a rosa dos ventos, domine o mercado, tenha um norte, saiba quais são os indicadores-chave e tenha o comando da sua vida e dos seus negócios.

Desejamos que você consiga construir uma grande organização, uma empresa que ultrapasse gerações, que pague impostos e ajude a deixar sua cidade melhor; uma empresa que coloque alimento na mesa das pessoas que dependem dela – e dos seus projetos e sonhos – para prosperar.

Não permita que a "melhor cultura" perca a queda de braço para "qualquer cultura"; faça tudo o que puder, de forma organizada, clara, de modo que as pessoas ao seu redor sintam-se energizadas por sua energia.

E lembre-se: o que é uma organização senão uma oportunidade para que as pessoas possam realizar seus próprios sonhos?

Liderar é indicar o melhor caminho, é libertar as pessoas para que elas possam ser quem quiserem ser. "Vi um anjo no bloco de mármore e simplesmente fui esculpindo até libertá-lo", disse Michelangelo. Desejamos que você seja o anjo liberto depois desta obra.

Forte abraço e até a vitória, sempre.